La collection
ROMANICHELS
est dirigée par
André Vanasse

Du même auteur

Hot Blues, roman, Montréal, XYZ éditeur, 2002.

Rosa-Lux et la baie des Anges

La publication de cet ouvrage a été rendue possible grâce à l'aide financière du ministère du Patrimoine canadien par l'entremise du Programme d'aide au développement de l'industrie de l'édition (PADIÉ), du Conseil des Arts du Canada (CAC), du ministère de la Culture et des Communications du Québec (MCCQ) et de la Société de développement des entreprises culturelles (SODEC).

XYZ éditeur
1781, rue Saint-Hubert
Montréal (Québec)
H2L 3Z1
Téléphone : 514.525.21.70
Télécopieur : 514.525.75.37
Courriel : info@xyzedit.qc.ca
Site Internet : www.xyzedit.qc.ca

et

Serge Bruneau

Dépôt légal : 4e trimestre 2003
Bibliothèque nationale du Canada
Bibliothèque nationale du Québec
ISBN 2-89261-375-2

Distribution en librairie :
Au Canada :   En Europe :
Dimedia inc.   D.E.Q.
539, boulevard Lebeau   30, rue Gay-Lussac
Ville Saint-Laurent (Québec)   75005 Paris, France
H4N 1S2   Téléphone : 1.43.54.49.02
Téléphone : 514.336.39.41   Télécopieur : 1.43.54.39.15
Télécopieur : 514.331.39.16   Courriel : liquebec@noos.fr
Courriel : general@dimedia.qc.ca

Conception typographique et montage : Édiscript enr.
Maquette de la couverture : Zirval Design
Photographie de l'auteur : Denis Bernier
Illustration de la couverture : Serge Bruneau, *Lettre noire (page 12 à 24)*, acrylique sur toile, 1998
Illustrations des pages de garde : détail de la couverture

Serge Bruneau

Rosa-Lux et
la baie des Anges

roman

éditeur

Romanichels

À Nathalie Scott

J e ne suis plus là.
Je pars, loin. Je m'en vais, loin. Très loin. Je te quitte, je décampe, je cède la place à plus avenant, je m'absente, je saute hors du convoi, je décolle, j'abandonne le navire, je vide les lieux, je fous le camp devant l'impossible, je n'en peux plus, je déménage mon corps et mes biens, je lance la serviette comme un lâche, je me sauve, je déserte, je plie bagage, je vais voir ailleurs si j'y suis. Je lève les voiles...

J'aurais pu choisir dans ce fatras de mots les plus opportuns. Ceux qui flattent et qui griffent et qu'on prononce avec un mince sourire et les larmes aux yeux. C'est idiot cette alliance impromptue du sourire et des larmes qui se veulent les deux faces d'une même peine. C'est l'eau et le feu dans une même tête. Le chien et le chat qui sont copains. C'est le refus qu'on accepte comme un cadeau du ciel, là où Dieu n'est jamais foutu de se manifester ne serait-ce que l'ombre d'une seconde.

J'aurais pu lui dire : *I love you Heather and I have to leave.*

Ou quelque bêtise du genre.

Au lieu de ça, j'ai pensé que le silence correspondait le mieux à l'état du moment.

Je ne suis pas de ceux qui s'éreintent dix mille ans sur la même question.

Je ne franchis plus un seul kilomètre sans me passer la main dans la figure en insistant un peu plus sur mes yeux, que je sens rougir à chaque battement de paupières. Il ne me reste donc qu'une heure et des poussières à rouler sur ce long ruban noir et bitumeux d'où je ne détache plus le regard de peur de rater ce qui peut s'annoncer, se dessiner ou même m'accueillir. Quelque chose qui donnerait un sens à ces heures perdues sur la route qui me ramène à la case départ. Et, tant qu'à y être, donnerait un sens à ces vingt années d'attente passées dans le ventre d'une ville qui ne m'a jamais vraiment donné naissance. Une ville où j'ai longtemps baigné dans la poisse et l'attente. De cette interminable gestation, je garde tout de même deux ou trois choses qui, je l'espère, finiront bien, tôt ou tard, par gonfler mes voiles.

Le reste du temps, la vie passait comme un éclair. Éblouissant puis, le temps de m'acclimater, ce n'était déjà plus là.

Heather était d'une autre eau.

Un amour un peu fou, une amitié du tonnerre et des projets qui se sont démarqués de part et d'autre. Toutes sortes d'idées qui finissent par user les aciers les plus résistants. On a beau faire, des fois la vie, c'est un torrent d'incompréhensions mutuelles. Une incompréhension de têtes de pioche qui finissent par creuser leurs propres tombes.

Elle voulait un bébé.

Moi, pas.

Elle disait :

— C'est le sens de ma vie, Dan.

Et moi, je baissais les yeux pour masquer l'ahurissement qui devait s'y lire, évident comme un panneau-réclame traversé de néons.

Outre cette divergence, les années se sont succédé tant et si bien qu'elles se sont mises à ressembler à toute une vie. Dans les gestes courts, surtout. La bise, le sourire et les regards. Nous allions tout droit vers un précipice, là où tout s'effondre sous le poids des promesses non tenues.

Certains matins, même le ciel n'en pouvait plus.

Tout ça n'excluait pas l'amour, ça le rendait suspect. Il n'y avait que ça, l'amour, entre nous. Je parle ici de l'abandon qui ne tarda pas à surgir et du reste du monde qui s'estompait en demi-teintes quand mon regard se posait sur elle. Quand je bouffais, c'est toujours l'épice de son sexe qui manquait au plat.

N'aurais-je qu'un nom à donner pour justifier mon existence, ce serait celui de Heather, la Louve aux reflets roux, avec qui j'ai connu la paix de l'âme.

Je dis ça sans trémolo ni coup d'archet.

J'annonce les évidences avec la froideur qu'il faut pour se maintenir la tête hors de l'eau.

Dans notre vie commune, les choses se sont placées de manière à ce que chacun y trouve son compte.

Jusqu'à la fin.

Elle voulait garder le matou, alors, je me suis dit que côté poils et litière, j'y gagnais.

❑

Pas d'erreur possible, c'est bien Montréal. Je peux presque mettre des noms sur les badauds qui occupent les trottoirs. Ils ressemblent, chacun à leur façon, aux acteurs qui m'ont longtemps donné la réplique dans une mauvaise pièce. Des dialogues sans diatribe lancés dans des oreilles étoupées, occupées à retenir les quelques rages qui y fermentent. La langue française est la plus belle du monde, comme on l'entend souvent, ce qui rend d'autant plus triste le fait qu'on n'a jamais rien à se dire.

En pays de connaissance, on retombe vite sur ses pieds.

Julien n'est pas là et, pour être honnête, je ne suis pas surprise le moins du monde. Je sais qu'il doit écrire pour le compte d'une revue un important article pour lequel il doit faire de sérieuses recherches. Il est devenu studieux, Julien. Studieux, appliqué et structuré. Il attaque la vie à bras-le-corps et goûte la moindre miette qui s'en échappe. Quand il passait par Toronto, Heather et moi, nous nous retrouvions à bout de souffle rien qu'à voir défiler les projets qu'il peaufinait.

Je jette un coup d'œil à ma montre et me souviens qu'il m'a parlé du Désert du Diable, un bar à deux pas de chez lui où il risquait de se trouver.

Je fouille dans mes poches pour tester le poids de ma fortune et je presse le pas, car je crains l'épaisseur des nuages qui menacent.

Par la vitrine où dégouline déjà la pluie, je ne distingue qu'une seule silhouette, qui se tient debout derrière le comptoir parmi les reflets colorés des bouteilles d'alcool que la lumière traverse.

En poussant la porte, je réalise vite que, pour la première fois de ma vie, je me retrouve dans un bar où il n'y a pas de musique.

Idem pour les clients.

Toutes sortes de trucs me passent par l'esprit, y compris que je me trouve peut-être dans un club privé où je n'ai pas ma place. Et qu'on viendra me sortir, cul par-dessus tête, comme on le fait au Black Cat à Toronto, où j'ai vu plus d'un gars planer pour finir par embrasser le trottoir. J'ai les muscles tendus, le dos traversé d'un train de nœuds, et je souhaite fortement que les coutumes de la place soient plus civilisées qu'au Black Cat.

J'étire un peu le bras pour masser mon mollet qui me fait un mal de chien quand le temps est humide, ou trop chaud, ou trop froid... Bref, une vieille blessure avec laquelle Heather me terrifiait à force d'exiger que j'aille consulter le médecin, chez qui je m'entêtais à ne jamais mettre les pieds.

La longue fille traverse de l'autre côté de son comptoir pour s'amener vers moi avec un plateau qu'elle frappe sur sa cuisse en soutenant la cadence d'un rythme muet. Je fixe le plateau et me demande ce qu'elle peut avoir en tête. Sûrement du rock and roll, me dis-je. Je gagerais ma chemise sur Rod Stewart.

— Alors ? elle dit.

— Scotch, je réponds sans trop savoir pourquoi.

Je ne bois jamais de ce truc-là, sauf les soirs où le désespoir rôde et qu'il me faut, pour le chasser, quelque chose d'un peu plus solide qu'à l'habitude.

— Simple ?

— Double

— Sur glace ?

— En plein ça.

Je ne rêve pas, elle vient juste de m'envoyer un merveilleux sourire. Même avec la gueule épouvantable que je promène, elle vient de me lancer un sourire surmonté d'un regard tout plein de faux silences. Je veux bien ficeler mon enthousiasme, mais je dois aussi reconnaître ce qui se présente. Le soupeser, le jauger et saisir la chance au vol quand elle passe par là. Je sais que je peux soutenir son regard, répondre à son sourire et même entamer la conversation. Mais je sais aussi que je suis tout à fait capable de trafiquer, de tricher, de me mentir...

Ah! ces mensonges qui m'ont tant fait rêver déjà...
Avec ma libido sous une pluie de confettis et mon imagination qui partait sur les chapeaux de roues et ne s'arrêtait
qu'à la fin d'une course toujours trop exténuante pour les
résultats atteints.

M'emballer pour un duo de pupilles qui daignait se
poser sur moi...

Un mot un peu trop gentil...

Une attention que je jugeais particulière...

... et j'entendais toute une armée de *cheer leaders* enton-
ner en chœur le bonheur de me regarder, de causer avec
moi, d'être à mes côtés.

Après un bref moment, la fille dépose le verre devant
moi. Je paye, ajoutant ce que je considère comme un géné-
reux pourboire, et lui demande pourquoi il n'y a pas de
musique.

— Parce que c'est fermé, monsieur, et que le bar ouvre
ses portes dans dix minutes. C'est une fleur que je vous fais
en vous servant.

— Vous auriez dû me le dire, je suis allergique au pollen.

Elle ne me trouve pas drôle, mais je suis aguerri à
toutes les incompréhensions.

En moins de deux, la musique surgit et il y a au-dessus
de ma tête un haut-parleur qui s'occupe des basses avec
zèle. Je tente de comparer ce rythme à celui du plateau qui
plus tôt frappait sa cuisse et conclus que cette fille n'a
aucune suite dans les idées.

De la banquette où je me trouve, je peux voir le profil
de la serveuse qui s'affaire à astiquer les verres. L'œil vif et
luisant, le nez légèrement courbé et, quand elle se retourne
du côté des spiritueux, j'arrive même à voir ses hanches.
Tout ça ne m'est pas vraiment étranger, mais moi qui
depuis toujours me targue d'une mémoire pouvant remon-

ter à la Genèse, je me retrouve incapable de relier cette fille à quelque souvenir que ce soit.

Depuis le temps, je n'ai plus vraiment l'œil pour ce genre d'exercice et je m'étonne de la facilité avec laquelle j'arrive à renouer avec les anciennes habitudes. Je regarde, détaille et apprécie le plaisir des yeux. Je prends note de ne pas dépasser les limites. Je ne lui dirai pas ce qu'elle ne veut pas entendre, ne ferai pas le geste qui la hérisserait... Bref, je reste dans mon compartiment de quadragénaire avec sur l'épaule un baluchon de dix mille tonnes et forcément quelques mélancolies, que je prends pour de l'expérience quand je suis de si bonne humeur.

Même si j'ai reconnu cette légère humidité dans le bref « bonjour » qu'elle m'a lancé à mon arrivée et qu'à partir de là mon imagination peut partir en cavale et planer longtemps, je garde les fesses serrées et la tête froide.

Je rêve davantage d'avoir du solide sous les semelles. D'avoir les pieds, même arrondis par l'alcool, sur autre chose que le moelleux vertige du rêve.

Les clients arrivent un à un et s'installent à des places qui leur semblent réservées. Ils franchissent le seuil et, invariablement, ils lèvent la main, « Salut, Catherine ! » « Salut, Jimmy ! » « Salut, Patrice ! » « Salut, Martin... Claude... Louis... Luc... Jean-Claude... » Immuablement, Catherine dépose devant chacun le verre que leur gosier attend. Les verres se vident et se remplissent, et Catherine encaisse les sous et retourne à ses occupations. Toutes les soifs se ressemblent.

Quant à moi, je reste invisible. Les regards me traversent et vont se poser ailleurs.

Alors que je me prépare à commander un second scotch, Julien se pointe le nez dans l'entrée et distribue quelques salutations qui ont l'air de lui venir toutes seules.

Il me paraît dans une grande forme. Presque athlétique. Il a toujours eu la grande forme, Julien. Je me suis long-temps demandé où il rangeait les excès qui lui ont taillé une drôle de réputation à l'époque où on ne comptait pas nos escapades sur un boulier. Cette image tenait sans doute à sa façon de rouler discrètement les épaules quand il marchait.

Il me tend une main amicale que je saisis fermement malgré la fatigue qui commence à me gagner.

— Le voyage s'est bien passé? il me demande avec un sourire qui lui traverse le visage.

— Rouler la nuit, c'est s'emparer du monde, je lui lance.

Comme pour les autres clients, Catherine s'avance avec une chope de rousse et la dépose devant Julien, qui n'avait encore rien demandé.

— Je vois que tu es un habitué de la place, je remarque en voyant que la fille repart sans même se faire payer.

Running bill à l'appui, il m'explique qu'il vient ici depuis quelques années et à une fréquence plus accélérée depuis qu'il vit seul. J'ai encore du mal à me faire à l'idée. Tout près d'un quart de siècle avec Lyne et voilà que, contre toute logique, tout dégringole.

C'est moi qui devais le surprendre, le prendre de court et le laisser bouche bée en lui annonçant qu'entre Heather et moi les choses s'étaient gâtées. Je m'étais même préparé aux remontrances d'usage et j'avais déjà en tête tout un défilé d'excuses pour appuyer ce choix de revenir à Mon-tréal. «Je quitte Lyne», il m'a coupé avant même que j'aborde la description de ma débandade.

Cette nouvelle-là, je ne l'ai pas vue venir. Depuis le temps, personne ne pouvait imaginer que la parole de l'un n'était pas une citation de l'autre. Ces deux-là connais-saient l'art de se mettre en lumière l'un l'autre sans jamais se faire d'ombre.

« Eh ben, mon vieux… » C'est là tout ce qui me venait à l'esprit, mais c'était profondément ressenti.

« T'aider en quoi ? » il a insisté, une fois ma surprise passée. J'avais exprimé le souhait qu'il me dégotte un atelier ou quelque chose qui pourrait en tenir lieu. Compte tenu que la bouée à laquelle j'avais pensé m'agripper se trouvait en eau trouble, j'ai vite battu en retraite en me convainquant que je saurais bien me sortir de ça tout seul.

— Heather, questionne Julien, elle a pris ça comment, ton départ ?

— Sais pas, je lui lance en regardant fondre mes glaçons au fond du verre.

Le fait est que je n'en sais rien. Je me suis en réalité sauvé d'un truc dans lequel elle avait peu à voir. C'est *moi* qui nageais dans la vase. *Moi* qui m'épuisais à progresser du moindre millimètre.

Moi qui chiais des briques au moindre propos…

Je ne voulais pas l'entraîner dans le bourbier.

Mes bagages ont longtemps dormi près de l'entrée. Ils se sont accumulés, finissant par ressembler au mont Royal, où j'allais tôt ou tard finir par atterrir. Puis, un matin, un camion est passé pour raser la montagne et envoyer son chargement dans un entrepôt humide. Ainsi, le moment venu, je pourrais vider les lieux sans me démettre une épaule.

Heather s'y attendait et j'ai choisi un soir où j'avais quelques verres qui me draguaient les veines et me larguaient du plomb dans le cœur. Je l'ai examinée qui tenait un livre ouvert sur ses genoux et j'ai remarqué que, depuis au moins trente minutes, elle n'avait pas tourné une seule page.

Il y a des choses qui ne mentent pas.

À un moment, elle a refermé son bouquin et s'est levée. Elle m'a passé la main dans les cheveux comme elle le faisait toujours avant d'aller au lit.

Je n'attendais rien.

Aucun signal, aucune parole et surtout aucune de ces bagarres que, par magie, on avait toujours su éviter. Tout avait été dit, sauf ce qu'on devait taire de toute façon. Et dans la cabane, tout criait depuis quelque temps l'urgence de mon départ. J'attendais juste que l'instant s'annonce. Qu'il s'amène sur la pointe des pieds, sans claironner, sans que quoi que ce soit n'éclate et risque de déranger notre quiétude.

Juste comme ça, sur un rien.

Ne manquait que ce coup de tête, ce souffle presque coupé et, au bout du compte, que ce courage de reconnaître que la vie venait de rater la cible et que nous nous en sortions avec quelques éraflures.

Sans plus.

J'ai jeté un coup d'œil sur le rythme lent de la respiration de Heather. Sur son ventre où souvent j'allais trouver refuge et qui battait une douce mesure, et ça me rassurait de la voir si vivante. Si pleine de sève où, tôt ou tard, la vie allait sûrement trouver moyen de prendre racine…

Bref, elle dormait à poings fermés.

— Elle a pris ça comme une grande, j'en suis sûr, je dis à mon ami en levant les yeux.

Fréquemment, il jette un coup d'œil du côté du bar et reprend une conversation qui s'allège un peu plus à chaque interruption. Il finit par vider sa chope et me demande de le suivre. Au passage, il serre quelques mains puis m'entraîne au bar. Sans trop chercher à comprendre, je l'imite et m'installe sur un tabouret bancal.

Pendant que Catherine lui verse une autre bière, je remarque que le sourire qu'elle lui lance n'a rien à voir avec ce petit frisson que je me suis inventé à mon arrivée. Du côté de Julien, la réplique se veut tout aussi intrigante. Ciel! que je suis naïf, je me dis en comprenant que cette Catherine-là fait bien plus que lui servir des bières avec de si beaux collets.

— C'est lui, Daniel ! elle s'exclame après les présentations. Tu ne m'avais pas dit qu'il était allergique au pollen, elle ajoute.

Je prie Julien d'oublier cette remarque et souligne à Catherine que l'antidote tout désigné pourrait bien être un autre scotch sur glace.

Tout au long du temps qui file, je fais la connaissance d'une bonne demi-douzaine de types qui me laissent entendre qu'ils sont fin prêts à prendre la vie du bon côté. Que ce soit pour grignoter un morceau de son prochain, pour dégueuler sur l'infidélité des femmes ou pour annoncer bien fort qu'il est beaucoup plus grand qu'il ne le paraît, tout un chacun se distingue des autres tout en se gavant à la même auge. Pour chacun d'eux, Julien a un petit truc à me glisser au creux de l'oreille. Des fois c'est gentil, d'autres fois non. Je ne me formalise de rien. Même pas de ce gros gars qui me cause comme si on avait un long passé en commun.

Tout cet alcool commence à me chauffer l'œsophage et je le signale à Julien, qui regarde sa montre et me demande de l'attendre quelques minutes avant de disparaître derrière un muret. En moins de deux, Catherine disparaît à son tour et je les imagine se peloter gentiment au rythme du saxophone de Jungleland que Clarence Clemons pousse hardiment dans les haut-parleurs.

Le souhait du moment, c'est que je n'aie pas à supporter trop de blagues moches de la part des lascars qui m'entourent. Ces trucs en bas de la ceinture qui ne font bander que leur pauvre imagination.

❏

Chez Julien, tout est magnifiquement à sa place. Si je le lui dis, il va me répliquer qu'il n'a pas le choix, qu'avec un espace tout ouvert, le bordel s'installe à la vitesse du son. Ils répondent tous ça. Alors je ne dis rien. Je dépose la bouteille de vin sur la table et jette un coup d'œil sur un tableau que lui et Lyne m'avaient acheté à l'époque. Il se défend encore malgré une certaine naïveté. Avant de dire quoi que ce soit, je tends les bras et pivote sur moi-même pour englober l'espace.

— C'est ben beau, tout ça, je dis. Ben, ben beau.

Je le sens pressé. Sans doute une urgence m'a-t-elle échappé. Dans chacun de ses gestes, il y a une certaine brusquerie, sinon de l'impatience.

Je le laisse à ses urgences et en profite pour regarder son nid. J'essaie de m'imaginer comment j'arriverais à peindre dans un tel espace. La lumière doit être bonne en plein après-midi et le mur qui fait face aux fenêtres me semble parfait pour recevoir un tableau de grand format mais, dans ce décor, mon imagination trouve vite sa fin.

Trop coquet, je tranche.

Julien avance la télé tout près de la table et ouvre la bouteille de rouge. J'examine l'étiquette et reconnais sans mal qu'il s'agit là d'une des bouteilles qu'on ne pouvait pas s'offrir à l'époque. Il allume le poste et souffle un peu puisqu'on n'en est qu'à l'hymne national. Les gaillards se tiennent droits comme des asperges, la foule s'impatiente et moi, je lui pique une cigarette.

À l'époque, avec Julien et Guy, un gars pour qui l'action militante s'articulait autant autour des poings qu'autour des idées, on ne ratait jamais un match des séries. On ne s'y connaissait pas vraiment et on réduisait l'identité des joueurs aux numéros qu'ils portaient dans le dos. C'est sans doute pour cette raison qu'on ne parlait jamais de hockey avec personne d'autre.

Julien finit de dresser la table au moment même de la mise au jeu.

Je me lève pour aller pisser un peu de ce scotch qui me chauffe encore. À mon retour, rien qu'à voir la gueule de Julien, je comprends qu'on se retrouve un point derrière. Je fais tout ce que je peux, vraiment tout, pour m'impliquer dans le match. Je vais même jusqu'à déclarer que notre numéro seize devrait y mettre plus de cœur. Qu'à se traîner les lames comme il le fait, la soirée risque d'être longue. Julien fait « hein, hein » et je vois qu'on est sur la même longueur d'onde.

On traverse ainsi trois longues périodes en ne bouffant que du pain, des fromages et des pâtés. Julien ne parle pas beaucoup et moi, je me retiens pour ne pas en dire trop.

Ça fait un drôle de silence.

Finalement, on se pète la gueule sur une humiliante défaite et c'est toujours « hein, hein » du côté de Julien.

On se ramasse un peu et il me tend quelques couvertures que j'installe sur le divan. Je fume une dernière cigarette et sens tous mes muscles noués d'un bout à l'autre de ma carcasse. Avant de m'étendre, je saisis une revue au passage et m'arrête sur un article qui est signé par Julien. « Rouler sur l'or et en fauteuil. » J'apprends peu sur les fauteuils roulants, mais je prends note que le vieillissement des baby-boomers rend ce marché plus qu'intéressant.

Le mollet comme un silex, je m'étire de tout mon long et me jure que dorénavant je marcherai plus souvent.

❏

J'ouvre les yeux sur un soleil impitoyable qui darde déjà l'appartement de Julien. À tâtons, je fouille la table à café pour mettre la main sur ma montre, mais je ne trouve rien. Une fois appuyé sur les coudes, je remarque un papier portant la griffe de mon ami et une clé toute luisante qui repose au milieu.

Je n'ai pas voulu te réveiller. Ne fais pas trop de bruit,
Catherine dort au bout de la pièce.

Julien

Je m'étire le cou pour constater qu'en effet il y a bel et
bien un corps inerte sous un amas de couvertures. S'il me
restait un doute sur les activités de ces deux-là, il disparaît
sans même que j'aie à poser la moindre question. C'est
avec un certain empressement que j'enfile mon pantalon
pour finir de m'habiller avec plus de sérénité.

Avant de partir, je mets la main sur un des albums de
photos qui s'entassent sur une tablette de la bibliothèque,
tout près de la sortie. Dès la première photo, mes yeux
s'écarquillent devant la tête d'un jeune homme qui brandit
fièrement un drapeau. Malgré l'image en noir et blanc, je
sais que ce drapeau-là était rouge. Rouge comme le sang
qu'on souhaitait voir couler dans le camp adverse.

D'une page à l'autre, mon étonnement prend de l'ampleur. Ça remonte à si loin que je dois me frotter les yeux
pour finir par reconnaître ces jeunes militants aux yeux
clairs et au sourire large. Le plus simplement du monde, je
retrouve toute cette colère enthousiaste qui s'exprimait tant
bien que mal, quitte à répéter la lourdeur d'une histoire dont
nous ne savions plus répondre. Julien nous photographiait à
la moindre occasion et, souvent, dans les pires moments.

Je cherche une photo sur laquelle je pourrais reconnaître
ma gueule juvénile de soûlard prématuré. Parmi celles qui
suivent, je m'arrête un instant sur le portrait d'une jeune
fille qui a longtemps squatté mes veines : Julie, qu'on se
plaisait à nommer Rosa-Lux en raison de sa fougue militante et de ce goût inné pour une certaine luxure qu'elle ne
se donnait jamais la peine de dissimuler. Et, bien sûr, en
souvenir de Rosa Luxembourg, grande révolutionnaire
allemande que, du reste, nous ne connaissions que de nom.

Je m'approche de la photo pour mieux la regarder. Bien étendue dans un hamac, en maillot deux-pièces avec un soleil qui la chauffait, elle visait la lentille droit dans l'œil et lui expédiait son fameux sourire qui m'avait souvent fait plier les genoux. Son bras tiré vers l'arrière de sa tête dégageait son ventre que j'aimais tant lécher avant d'aller m'occuper de ce qui finissait par urger un peu plus au sud de sa charpente.

J'enfile finalement mon manteau et chausse mes godasses dans le corridor.

❏

Dans un snack du quartier, j'avale mon troisième café le nez plongé dans les pages du journal à la section des petites annonces où, je l'espère, je dégotterai un trésor. Je ne demande pas la fin du monde. Je ne cherche rien de comparable à l'atelier que j'avais à Toronto. Un espace tout simple où j'aurai le sentiment de prendre mon envol. Le genre d'endroit qui d'un matin à l'autre nous commande presque de nous tremper les doigts dans la couleur. Mais je comprends vite qu'il n'y a rien à attendre de ces colonnes et je cesse de m'y arracher les yeux.

Je note tout de même sur un bout de papier deux ou trois adresses, histoire de garder le moral. Je le glisse dans ma poche et prends brièvement le pouls du monde dans les pages qui traitent de politique internationale.

Donc de tricheries, de putasseries et de mort.

Pour le moment, je me dis que je dois me secouer un peu et trouver où nicher dans les plus brefs délais. Je sais bien que Catherine et Julien ne vont pas éternellement s'empêcher de baiser pour une canaille de mon espèce qui n'est même pas assez futée pour reprendre sa vie sans encombrer celles des autres. Et puis, si Julien ressemble encore un peu à ce qu'il était à l'époque, je sais que c'est sa bite qui va finir par m'indiquer la sortie et là, ça va faire du feu. On était pas mal pour allumer ce genre de brasier, Julien et moi, à l'époque. On s'est juré la mort cent fois, on a brandi les poings mille fois, mais jamais on n'a dépassé la menace. Et puis, ça faisait partie du jeu qu'on jouait comme d'autres jouent aux douces amitiés.

❏

En marchant sur l'avenue du Mont-Royal, où tout le monde semble d'accord sur ce qui est beau, je lève la tête et me dis que le ciel de Montréal est sûrement l'un des plus beaux de tous ceux qui enveloppent la planète.

C'est con de penser ça ?

Sans doute.

Mais comme il n'y a pas le moindre nuage qui vient brouiller mes humeurs, je me sens léger, aérien et avec la mémoire vive. J'ai tant glandé dans ces rues que, si le cœur m'en disait un tant soit peu, je pourrais plaquer toutes sortes de souvenirs sur le moindre coin de rue.

Je n'ai jamais oublié Montréal.

Je me demande ce qu'en penserait Heather si elle était ici, maintenant, à mes côtés ; j'aimerais entendre ses réflexions. Elle n'aimerait pas, je crois. Elle n'aime que la rue King à Toronto et un coin de New York qu'elle a visité avec son tout premier amant, dont elle garde d'ailleurs, à l'instant même, un souvenir impérissable. Le genre de souvenir qui fait rager un gars comme moi pour le reste de ses jours. La seule chose qui plaide en faveur de Montréal en ce moment, c'est que, sur le marché illicite des illusions, on y produit la marijuana la plus prisée de toute la planète et ça, mine de rien, ça pourrait amener Heather à reconsidérer son appréciation de ma ville natale.

D'elle, il me vient, comme une bouffée, tout un chapelet de souvenirs. Surtout ceux de son regard gitan et de ses
hanches auxquelles il faisait bon s'accrocher.

Je jette un coup d'œil à ma mise dans une vitrine et je
pousse la porte du Désert du Diable.

«Julien arrive d'un instant à l'autre!»

C'est la première chose que j'entends sitôt mes semelles
sur le parquet. Elle sourit de toutes ses dents. Un sourire
un peu niais mais tout de même sincère. Catherine ne me
tient donc pas rigueur de la diète de cul que je lui ai
imposée. Bof! je me dis, une petite disette, ça ravive un
couple.

— Tu vas bien, Catherine?

Elle se porte à merveille.

— Quoi de neuf? elle demande.

Merde, elle m'a vu à moitié mort sur le divan de son
amant il y a moins de seize heures. Et si ça se trouve, j'étais
bandé jusqu'à la moelle. Je la rassure malgré tout sur mon
état et m'installe sur le même tabouret bancal qui, décidément, semble vouloir me coller au cul jusqu'à la fin des
temps.

— C'est quoi ça? elle demande en voyant la clé de
Julien que je dépose sur le bar.

Je lui explique que je viens de louer une petite chambre
dans la maison d'en face, le temps de retomber sur mes
pieds et de sortir des brumes.

Un hôtel de passe?

Ben tiens! Ça permet sans doute d'expliquer la présence
du miroir plaqué au plafond juste au-dessus du lit. Pendant
que je cherche une façon de ne pas insulter Catherine, elle
dépose un double scotch sur glace devant moi. Comment
lui faire comprendre que je ne suis pas comme Jimmy, Louis
et les autres qui, sans dire un mot, se retrouvent en deux
temps trois mouvements avec de quoi s'abreuver? Que,

dans la vie, il y a la polyvalence ?... Bref, que tant que je suis assez lucide, j'aime bien choisir moi-même ce qui viendra me chauffer l'intérieur ? Mais je n'en ai pas la force et je porte le verre à mes lèvres en me jurant de laisser fondre les glaçons, histoire de freiner ma course.

Tandis que je débite quelques inepties pour répondre à Catherine qui me questionne sur ma vie à Toronto, alors que je n'ai rien à partager sur cet épisode, la porte se referme sur Julien qui gueule un peu sur la rareté des places de stationnement.

— Vont finir par me faire prendre le métro, ceux-là.

Je le rassure sur le fait qu'il ne se rendra jamais jusque-là ; il me regarde et me souligne que j'ai l'air d'un gars qui a passé la nuit sur la corde à linge. Je le rassure sur ça aussi tout en l'informant que j'ai loué cette petite chambre. Avant qu'il se lance dans des histoires de putes, je lui fais re-marquer que j'ai besoin d'un peu de temps pour retomber sur mes pieds et que je trouve bien sympathique cette idée de se mirer au plafond avant de sortir.

Il reçoit sa bière et, bien sûr, je commande un autre scotch.

— Dis donc, Julien, je lui lance, elle avait les yeux de quelle couleur Rosa-Lux ?

Avec l'index, il remonte ses lunettes et prend un air songeur. La question qui le tracasse n'est pas vraiment celle qui porte sur les yeux de Rosa-Lux mais le fait que je le lui demande.

— Ben oui, je dis, j'ai feuilleté un de tes albums... Mais elle a des verres fumés. Alors...

— Pas encore oubliée, celle-là ?

— Faut pas charrier, mon vieux, je lui dis avec une con-viction qui m'étonne moi-même.

Le fait est que cette fille-là m'a hanté le ciboulot pen-dant un long moment malgré les efforts que je déployais quotidiennement. Vingt-quatre heures sur vingt-quatre. Je la sentais me couler dans les veines, me remonter à la bouche et redescendre avec une lampée d'alcool dans laquelle jamais elle ne se noyait. Je la retrouvais dans le sexe des femmes que je rencontrais. Elle leur sapait le moindre geste, leur volait la moindre caresse. Quand elles ouvraient la bouche et que ma langue frôlait la leur, c'étaient les mots d'ordre de Rosa-Lux que je venais chercher pour qu'ils me restent sur le bout de la langue, pour que je les garde comme une sucrerie qui prend une éternité à fondre et qui laisse une sensation de fraîcheur, comme ils disent dans les pubs à la télé. Entre les cuisses d'une autre, c'est dans le ventre de Rosa-Lux que j'allais m'évanouir avant de me retourner sur le dos, de fermer les yeux et de trouver extraordinaire cette faculté de pouvoir étirer le temps.

Rosa-Lux, c'était une fille à cran d'arrêt qui pouvait surgir de nulle part et, de préférence, de là où on ne l'attendait pas, parce qu'ainsi l'attaque devenait foudroyante, sans merci et toujours enrobée d'une espèce de charme qui achevait l'ennemi du moment. Sans compromis, elle attaquait.

Droit au but.

Rien ni personne ne résistait à sa charge. Cette Rosa ne laissait rien au hasard quand il s'agissait de faire table rase et d'affronter les sempiternelles virgules qui retardaient l'action ; on pouvait compter sur elle pour voir des gueules se fermer. L'ennemi du peuple anéanti. La victoire au bout de son regard de feu et d'amour, Rosa-Lux enjambait les cadavres sans se soucier d'achever les blessés qui n'osaient même pas râler tellement ses yeux fauchaient large. Les femmes et les enfants d'abord, le reste n'avait qu'à bien se tenir, puisqu'en deux phrases il risquait de se retrouver le cul bien botté avec l'humiliation d'un silence de plouc.

Elle militait pour les plus nobles causes alors que nous, nous militions pour Rosa-Lux.

— N'empêche que si tu étais gentil, tu me la donnerais, cette photo.

Le sourire qu'il me lance me laisse entendre qu'il lui arrive d'être gentil.

Lundi.
Je me suis drôlement emmerdé aux trois D. C'est comme ça que les habitués nomment le Désert du Diable. C'est moins long à prononcer quand on a la langue épaisse comme un matelas. Je me suis ennuyé, mais je l'ai fait avec conviction, en espérant que le scotch qui suivrait aurait un peu plus de rigueur que ceux qui lui avaient ouvert la voie. Rien qu'à voir le visage pâle qui m'apparaît au plafond, je comprends vite que j'ai dépassé les limites que, du reste, j'ai toujours du mal à me fixer.

J'ai la gorge ravagée par la fumée et le cœur qui flotte sur une mer d'alcool.

De bien mauvais augure.

Je fais la revue de toutes les idées qui me hantent, chasse les noires et décide de profiter de la journée pour trouver l'atelier qu'il me faut.

❏

Mercredi
Les places sont rares au paradis de l'immobilier. J'ai bien peur de devoir me contenter d'un petit coin de purgatoire en me demandant quelle est la dette qu'on me fait payer. Quand on veut, on peut, paraît-il, mais, quand on s'imagine pouvoir, il y a la faux qui s'amène pour nous couper les jambes.

En chialant, gueulant, geignant, je me console en me répétant que ce n'est pas pour l'éternité et que ça me changera de l'enfer où je croupis parmi les putes qui négocient des cachets ou de la dope dans les corridors, que ça me changera de la *tourist room* où je viens suer mes scotchs dans des draps qui commencent à me lever le cœur.

Et puis, dans la rue, ça vit déjà. Des gens, des bagnoles et, surtout, ce bip incessant d'un camion qui n'en finit plus de reculer.

J'allume une cigarette et remarque qu'entre les pans de mon rideau une lame de lumière vient me secouer.

❏

Jeudi

... et cette image que me renvoie le miroir du plafond et qui ne laisse aucun doute sur mon état. Et où est-elle, cette petite voix qui, d'un matin à l'autre, venait me sonner les cloches ?

« Allez, mon vieux, un peu de cran. »

Cette voix qui me menait par le bout du nez en m'imbibant la cervelle de trucs pleins d'avenir et où j'allais sans rien demander. Pourquoi ne me dicte-t-elle pas de demander à Catherine de cesser de faire tomber les scotchs sur ma table ? Pourquoi ne me tire-t-elle pas de cette chambre où le plafond ne cesse de me renvoyer l'image verdâtre d'un cadavre qui refuse de pourrir ?

❏

Lundi (je crois)

Mon lit est une mer de sueur, mais je me suis fait aux sensations poisseuses. Ce qui m'agresse, c'est cette odeur qui flotte dans l'espace et me prend à la gorge. Le temps de le dire, il y a ma mémoire qui me remet les yeux en face des trous. La nuit dernière, j'ai dégueulé dans un coin de la chambre. J'avais oublié cette sensation tellement la chose m'est devenue étrangère. J'ai chaud, froid et je me sens en appétit. J'évite le plafond et soulève ma tête de deux tonnes pour regarder l'étendue de mon lit où je ne suis pas surpris de ne trouver personne. Ça fait une éternité que je n'ai pas baisé. Même pas juste un peu. Les derniers temps avec Heather, on avait réglé cette chose-là. En fait, elle s'était réglée toute seule. Par la force du temps qu'il faisait entre nous.

Donc, rien.

Rien que le souvenir...

Des érections longues comme ça...

Des souvenirs de frissons...

... quand une main me frottait le crâne.

Quand une langue me léchait le lobe avec des ah...

Quand des ongles me labouraient le dos...

... et que je finissais invariablement par cracher ce liquide blanchâtre et visqueux qui fait croire que l'absurdité de la répétition a un sens.

La vie, c'est comme la bicyclette, ça ne s'oublie pas. J'ai finalement dégotté un atelier et, ce soir, je rentre chez moi. Catherine me sert une bière que j'avale lentement en appréciant le plaisir de cette trouvaille. Bien sûr, si dehors le soleil nous poussait quelques rayons, le paysage serait idyllique, mais j'arrive même à reconnaître que je ne peux rien changer à ce genre de chose.

Je dresse quelques plans d'aménagement, les montre à Catherine, qui a toujours une petite question à pousser quand ce n'est pas une grosse merde à soulever.

Contre ça non plus je ne peux rien et, le plus beau de l'affaire, je m'en fous.

Je plonge la main dans un sac pour en ressortir quelques arachides que j'écale rapidement pour ensuite les engloutir. Puis, je présente à Catherine une centième version de mon futur aménagement devant lequel elle fait la moue et m'incite à reprendre le crayon. J'ai à peine le temps de tracer quelques lignes quand Julien sort de nulle part.

— Tu y as mis le temps, me dit Julien quand je lui exhibe le bail.

— Je ne voulais pas n'importe quoi, je réplique aussitôt.

Peu importe que l'espace ne soit pas très grand. Je cherchais un lieu où je pourrais travailler en paix et vivre calmement les dilemmes qui finissent toujours par s'installer entre la toile et le pinceau. Quant au quartier, avec ce que j'ai à payer, il ne peut qu'être malfamé. Une seule exigence, que les commodités se trouvent entre les quatre murs. J'en ai plus qu'assez de ces vieilles usines à peine salubres avec, au bout du corridor de chaque étage, des chiottes où ça pue toujours l'urine des autres.

— J'ai besoin de très peu pour me satisfaire.

Je lui échange quelques arachides contre une cigarette avant de poursuivre.

— J'ai suffisamment de défaites à l'âme sans y ajouter une promiscuité dégradante, je lui lance avant qu'il se mette à rire.

À l'époque, il me disait souvent que je traînais une odeur de tristesse autour de moi.

Le fait est que je profitais de la moindre occasion pour m'en parfumer.

— N'empêche que ce n'est pas trop demander pour un type qui revient du paradis.

— Bon, eh bien, il dit en sortant une enveloppe de son attaché-case, tu pourras commencer ta décoration.

Il me tend l'enveloppe, que j'ouvre aussitôt pour en sortir une Rosa-Lux magnifiquement glacée. Ciel, qu'elle était bien cette fille-là ! Une fille avec du chien, capable des plus grands combats et de douceurs infinies, qu'elle pratiquait, dans un cas comme dans l'autre, avec une précision de chirurgien. À la guerre comme en amour, on sortait de ses pattes abasourdi et à peine capable de se souvenir du nom de notre mère.

En replaçant la photo dans son enveloppe, je souris en me souvenant de la façon qu'elle avait de refermer les cuisses sur ma tête.

Je termine ma bière et fais signe à Catherine que je suis fin prêt pour un truc un peu plus solide.

— Tu travailles à quoi ? je demande à Julien.

Il fouille dans sa mallette et m'informe que si, avec tout ce qu'on lui propose, il ne devient pas riche, alors, il fait une croix sur la vie. Cahier en main, il promène son doigt et tourne les pages en me dressant la liste des rendez-vous qui l'attendent. Lui, le roi des fouteurs de merde de toute la gauche montréalaise à une certaine époque, le voilà qui se balade avec une mallette bourrée de promesses. Comme il écrit bien, qu'il a un verbe infaillible et une imagination sans bornes, on le contacte pour toutes sortes de sujets. De la fonte des icebergs au clonage des fourmis. Rien ne résiste à sa plume.

— D'ailleurs, tu vas pouvoir m'aider, il me lance.

— …?

— J'ai un article à écrire sur les perceptions d'un nouvel arrivant qui découvre le Québec.

— Mais, je m'exclame, je ne suis pas un nouvel arrivant.

Je m'étonne moi-même de l'intensité que je mets à annoncer une évidence. Si je me forçais un peu, je pourrais faire remonter mes ancêtres jusqu'à la Conquête. Dans mes veines, coule le sang de colons, de pêcheurs, de putes et de tueurs d'Indiens. Dans mes veines comme dans les siennes, comme dans celles de tous ceux qui habitent le continent.

Je ne saisis pas trop le sens à donner à cette demande. Combien de temps ai-je pataugé à Toronto pour avoir droit à cet accueil?

— Et je devrai te répondre avec un accent bulgare pour faire plus vrai?

— Tu ne vas pas me refuser ce petit service, il semble s'étonner. Une absence de vingt ans… Tu reviens après tout ce temps… Dis, il insiste, tu vas faire ça pour moi, non?

— Bien sûr, je le coupe. Mais pour le moment, j'ai un chez-moi et je compte bien m'y installer.

Je fais cul sec avec le scotch et je salue la compagnie.

❏

Chemin faisant, je m'arrête chez un épicier de quartier pour y prendre quatre pamplemousses, de la nourriture sèche et quelques bières auxquelles je prédis une bien courte vie.

Dans l'entrée de l'immeuble, je croise deux types, dont un qui m'interpelle. J'ignore comment il s'y est pris, mais il a deviné que j'étais le nouveau locataire du neuf cent six. Je devine à mon tour qu'il assume la conciergerie de l'édifice. Le pauvre, il a l'air bien déçu de me voir débarquer avec un si mince bagage. Devant son insistance, je le laisse m'escorter jusque dans mon local d'où, je le réalise tout à coup, j'ai une vue imprenable sur le bâtiment d'en face.

Il s'appelle Jean-François, mais me supplie de l'appeler Jef, comme tout le monde ici, me jure-t-il. Je n'insiste pas, me contentant de constater qu'il a vraiment la gueule d'un lévrier qui s'énerve devant un os.

Jef me signale au passage que la cuisinière ne fonctionne plus et me promet de la sortir à la première occasion. Je le rassure aussitôt en lui disant que ça tombe bien, parce que je n'ai pas très faim par les temps qui courent.

Avant qu'il parte, je lui demande de qui se compose mon voisinage. Il indique le mur de droite, lève les yeux au ciel et envoie un baiser en direction du plafond. Ce n'était pas le sens de ma question, mais je me réjouis tout de même de son appréciation. J'apprends qu'elle s'appelle Maryse et même plus, mais la suite s'exprime dans une longue mimique un peu dégueulasse.

L'atelier est suffisamment grand pour que je puisse y installer quelques toiles de bonne dimension. Avec une installation fonctionnelle, j'arriverai à peindre des œuvres ingénieuses, étonnantes et qui me prouveront que j'ai encore assez de sang dans les veines pour m'épancher sur une couleur qui se donne la peine de me surprendre. Je me fais, bien évidemment, les serments d'usage quant à l'espace que je garderai propre et rangé, même si l'expérience des années passées me hurle que je n'y arriverai pas.

Côté lumière, je sais depuis toujours qu'il n'y a pas de miracle à attendre mais, avec les quelques fenêtres qui s'élèvent tout au fond, je me convaincs que tout devrait aller, d'autant plus que selon mon estimation, le soleil, quand il s'en donne la peine en milieu d'après-midi, surplombe sans doute le bâtiment voisin pour venir atterrir dans mon espace. Puis, il y a ces deux plafonniers donnant une lumière crue qui creuse dans les plis de la chair mais qui sait aussi refroidir les ardeurs quand l'œuvre est sur le point de nous emporter.

J'étends mon sac de couchage sur le sol pour m'y étendre, m'ouvre une bière et laisse ma tête rouler vers le passé. Les moments roulent, se succèdent, puis j'arrête la machine à mémoire sur un moment précis. Un de ceux que j'aime le mieux et dont je ne me prive jamais de me bercer quand j'en sens le besoin.

Un après-midi tout droit tombé du paradis.

La première fois que j'ai vu Heather, cette Louve aux reflets roux, elle se tenait debout au beau milieu de la Belly's Gallery alors que les gens n'arrêtaient pas de m'offrir les félicitations d'usage. Je regardais au-dessus, à côté et même à travers eux pour ne pas perdre de vue cette fille qui, le plus simplement du monde, posait son regard sur des œuvres qui venaient tout juste de sortir de mon atelier. Elle traversait le temps d'un tableau à l'autre sans que la moindre expression passe sur sa figure. Une armée de fourmis me gagnaient les jambes, mais Julio, mon agent, veillait au grain. Fallait être gentil avec les gens qui deviendraient peut-être des acheteurs. Dire ce qu'ils voulaient entendre ? Manque de chance, je n'arrivais pas à mettre la main sur quelqu'un qui aurait pu nous présenter l'un à l'autre. J'aurais agi poliment pourtant. J'aurais su me tenir et lui aurais enfin décoché un sourire qui aurait été tout ce qu'il y a de plus vrai.

Mais personne.

J'étais seul.

J'étais l'artiste. Celui de qui sortaient toutes ces couleurs qui ornaient les murs et pour lesquelles Julio trimait comme un nègre afin de leur trouver preneur. Malgré tout ce qui pouvait s'écrire et s'envier à Toronto, ce n'était pas simple de se tailler une petite place au soleil. J'avais donc comme tâche de distribuer sourires, explications et remerciements en fonction de cette fameuse cote qui ne parvenait pas à prendre l'essor que Julio m'annonçait comme imminente. Comme je misais sur ce que j'avais dans le ventre, je ne lésinais pas sur les conventions.

J'avais la main moite à force d'empoigner celles qui se tendaient vers moi, mais je gardais la tête froide et le verbe alerte. Mon anglais était approximatif et, selon Julio, ça plaisait. Ça faisait exotique et, donc, c'était un atout. Il ne savait pas que cet accent m'avait valu un bon nombre d'aventures et que cette langue de Shakespeare maladroitement maîtrisée se déliait quand ça comptait.

Bref, je faisais les yeux doux puis, entre les têtes, j'ai aperçu la crinière de Heather qui franchissait la sortie. En moins de deux, je me suis retrouvé sur le trottoir à lui expliquer que, si elle le désirait, elle pouvait se choisir une des œuvres exposées et que je la lui offrais.

À condition, bien sûr, que ce ne soit pas un grand tableau.

Après un sourire qui en disait long, elle a tourné les talons et je lui ai crié :

— *I want something from you, don't know what it is just yet but I'm sure you can deliver.*

Je n'oublierai jamais la tête du badaud qui se trouvait entre nous deux.

Des fois, afin de me donner un peu d'élan, je me rejoue la scène de notre rencontre pour me convaincre que j'avais, à cette époque, l'audace d'un type qu'on n'abandonne jamais. J'ajoute quelques dialogues pour combler les oublis et envoûter tout ça.

Faut bien, sinon à quoi ça servirait, les souvenirs? Hein? Je vous le demande.

❏

Depuis une semaine, je me promène d'un bout à l'autre de l'atelier. J'ai tout repeint, tout astiqué et je sens une grande envie de me remettre au boulot. D'attaquer un tableau ou de me faire abattre par la couleur. Sur ce point, rien n'est jamais décidé à l'avance.

Je n'ai vu personne, sauf le Coréen qui vend des cigarettes et de la bière et avec qui il m'arrive d'échanger quelques mots. Le reste du temps, je gueule un bon coup contre le lecteur de nouvelles à la radio quand il fait l'innocent.

Je viens de terminer de peindre le dernier mur et, comme la hâte m'incite à faire vite, j'ai ouvert la porte d'entrée toute grande de manière à ce que l'air se promène et accélère le séchage. Ce n'est pas tant que j'aie voulu rafraîchir l'espace que pour m'inciter à bouger, à sortir de cette léthargie qui commençait à me jouer sur les nerfs.

Tous les matins je me disais que j'irais rendre visite à Julien, mais même le vol d'un oiseau parvenait à me distraire.

Et puis, je n'en pouvais plus de voir ces petites taches de couleur qui s'éparpillaient sur les murs et m'amenaient à croire que mon prédécesseur avait une approche burlesque plutôt qu'une pratique réfléchie de la peinture. Il y a bien ces petites taches qui, par endroits, percent encore l'épaisse couche de blanc, comme un écho de la médiocrité. Ce sera mon fardeau, je me dis. D'autant plus que dans l'ensemble ça va, l'espace me sera aisément supportable.

Bref, je me paye l'illusion de m'approprier l'espace.

Je repousse du pied les matériaux encombrants et me retourne pour faire face à une présence que je viens tout juste de sentir. Devant ma porte, au milieu du corridor, je vois une fille qui me regarde droit dans les yeux.

— Ça va être beau ici, elle me lance.

J'ai devant moi Maryse, ma voisine de droite. Je distingue mal ses traits, mais l'allure générale me donne envie de reconnaître que Jef a vu juste. Je m'avance pour lui tendre une main souillée de peinture qu'elle saisit sans se départir de son sourire.

Je me présente le plus gentiment possible.

— Peintre ? elle dit avec un soupçon d'inquiétude au coin de l'œil.

— En plein ça.

Elle retrouve son regard apaisant et m'explique qu'elle a déjà traversé deux longues années avec un sculpteur comme voisin. Ramdam incessant et poussière en prime. Elle ajoute que les sculpteurs sont souvent des rustres mal dégrossis. Je passe par-dessus la sévérité de son jugement et la rassure sur mes habitudes et la tranquillité du pinceau qui voyage sur la toile.

Cette fille-là ne lit sûrement pas dans mes pensées, puisqu'elle entre au moment même où je me disais que je ne pouvais pas vraiment l'inviter. Il me reste bien un peu de vin, mais je n'ai pas de verre pour le partager. Et puis, il m'en reste si peu… Faut dire les choses comme elles sont. Quand il y en a pour un, il y en a pour deux, mais quand il n'y en a même pas pour un…

On reste forcément sur sa faim.

Enfin bref.

Elle se lance dans l'énumération des coutumes de la boîte, qui ne sont pas toujours resplendissantes. Et puis, la rue qui est bruyante... Certains locataires qui sont inconscients de la plus élémentaire prudence... Les proprios qui s'acharnent à tout rafler sans jamais rien donner... L'ascenseur qui fait des siennes... Les pompiers qui font hurler leurs camions à toute heure du jour et de la nuit...

— Mais au moins j'ai les chiottes, je la coupe.

Elle ouvre son sac sans même regarder et y plonge la main pour la ressortir et me tendre une feuille de papier. J'y jette un bref coup d'œil et comprends que me voilà invité à une méga manifestation où la mondialisation risque de passer un mauvais quart d'heure. Je distingue quelques mots, *USA*, *Capitalisme* et *Sauvage*. Bref, tous les ingrédients semblent y être pour que le gâteau lève.

— Bien ça! je lance avant d'ajouter que je ne serai malheureusement pas à Montréal cette journée-là.

Elle hausse les épaules sans me regarder et s'arrête pour prendre la photo qui repose sur le bord de la fenêtre. Elle la regarde longtemps, comme si elle s'attendait à quelque révélation. Comme si l'image était animée et qu'elle attendait le générique avant de détourner le regard. Elle passe un doigt sur la photo et je me dis qu'après Heather et ses plaisirs tranquilles, c'est sans doute normal que je tombe sur quelques folles qui portent leurs lubies comme d'énervantes breloques.

— C'est ta femme? elle demande.

— Non.

— Ta copine? elle questionne encore sans lever les yeux.

— Non, je répète. C'est Rosa-Lux.

— Drôle de nom.

— Ouais, je fais, un brin agacé.

En se dirigeant vers la sortie, elle laisse tomber une autre de ses invitations en me précisant que, si jamais je suis dans le coin, ce serait bien qu'on se revoie à cette soirée.

Je baisse les yeux sur la feuille qui vient de se déposer au sol et, cette fois, c'est toute la planète qui est sommée de se rendre à l'évidence que le mépris n'aura qu'un temps.

❏

Sur les conseils de Julien, je me suis retrouvé dans la rue Saint-Laurent, chez un marchand où il est possible de mettre la main sur un ordinateur sans pour autant perdre toutes ses économies. Moins puissant que sa propre machine, il a précisé, mais pour ce que je veux en faire, c'est encore trop performant. Alors...

Le jeune gars qui veut vendre prétend toutes sortes de choses sur les différents modèles qu'il me braque sous les yeux et dont j'ignore tout. Il ne le sait sûrement pas, mais cette façon qu'il a de frotter ses mains l'une contre l'autre le fait ressembler davantage à un loup aux abords de la bergerie qu'à un type qui s'apprête à me rendre service.

D'entrée de jeu, je l'ai prévenu que je n'avais pas le temps de répondre à ses dix mille questions ni d'entendre la liste des innombrables qualités de mon achat. D'autant plus que je savais que, pour une mince commission, ce type-là était prêt à me vider de mon sang.

La transaction s'est donc conclue en moins de deux et je suis reparti heureux mais non sans savoir que j'avais dans les bras un processeur 1,13 GHz, un disque dur de 20 Go et deux ou trois autres trucs dont j'aurais dû m'enorgueillir.

Et pourtant, je suis bien conscient que je n'ai pas vraiment besoin d'une telle performance. Rapidité, fiabilité et tutti frutti... Tout ce que je cherche, c'est de pouvoir, à distance, communiquer avec Heather.

Subito presto.

Lui raconter tout plein de choses, les plus banales même, comme ce chat qui, il y a cinq minutes, éventrait un sac à ordures au moment même où une ambulance hurlait. Une chose toute simple comme il s'en passe dix mille à la seconde dans une ville, mais une chose que j'aurais aimé partager avec Heather.

Et puis, la distance n'est pas inutile.

Je peux lui lancer des messages, faire des commentaires, supposer l'inimaginable sans entendre son rire aigu ou son silence de plomb. Sans qu'elle lise ce qui est déjà écrit dans les étoiles et qu'elle arrive toujours à renifler malgré toutes les entourloupettes que je peux orchestrer.

Quand je cachais ou quand je mentais, quand je tordais un peu le cou de la vérité, les oreilles de Heather, la Louve aux reflets roux, se dressaient chaque fois. Son regard me transperçait et je me retrouvais dans l'obligation de baisser les yeux.

Souvent, elle me disait qu'elle savait qu'entre nous le temps passait et que, tôt ou tard, tout allait finir par basculer dans l'oubli. À ça, je répétais inlassablement que tant et aussi longtemps qu'on cultive l'illusion qu'il nous en reste assez, de ce foutu temps, on pouvait prétendre avoir le vent dans le dos.

Elle ne m'écoutait pas quand je lui disais :

— Regarde, Heather, regarde autour, il y a toujours un soufflet qui traîne quelque part pour raviver les braises.

C'est ça que je vais lui écrire une fois que mon ordinateur, tout bourré de qualités, sera branché.

«Regarde, Heather, il y a sûrement un soufflet qui traîne.»

Sans grands soins, j'éventre l'immense boîte qui enserre mon ordinateur et je commence à lire studieusement toutes les étapes à suivre pour arriver à bien brancher cette quincaillerie.

À mon arrivée, j'ai empoché une note scotchée sur ma porte et quand j'y ai jeté un coup d'œil, j'ai lu et relu. Maryse m'invitait à passer chez elle. Cette invitation me trotte dans la tête et c'est sans doute un peu à cause d'elle que j'arrive mal à faire toutes les connexions qui s'imposent. Je m'imagine n'importe quoi et, bien sûr, que l'avenir me réserve peut-être quelques surprises avec lesquelles j'arriverai bien à négocier le temps venu.

Je me nettoie un peu en visant du regard cette petite esquisse qui me fait de l'œil. Ne me reste plus qu'à imaginer la chose cent fois amplifiée et les couleurs s'y déployant pour que le cœur s'emballe un peu.

Je m'installe après un long préambule devant l'écran où, contre toute attente, ça fonctionne.

J'aimerais bien un truc un peu solennel pour bien signer le moment. Un alcool chèrement acquis, une musique puissamment ressentie… Mais je n'ai rien, alors je me répète qu'il ne faut pas trop en demander à la vie.

heatherb@msn.com

Salut la Louve,
J'aime penser que tout va bien pour toi. J'aime t'imaginer marchant dans King Street comme d'autres le feraient dans un champ de blé. Avec une désinvolture qui donne envie de te suivre jusqu'au bout de ton monde.
D'ailleurs, on te suit toujours.
Tu te souviens pour le cinéma au début de notre relation ? Tu n'avais qu'à dire : Please, Dan, Bertolucci is a genius. You will love it.
Et je flanchais. Quand ce n'était pas Bertolucci, c'était Wertmuller, Visconti ou Godard… Jamais un truc où l'on dégaine rapidement, où l'amour s'étale en technicolor…
Pas évident pour un type qui accueille le générique comme un élan vers la liberté.
Je ne connais pas l'état de ton ventre. Peut-être y germe-t-il déjà un bébé ? Quand ça se mettra à gonfler, à bouger et à squatter ton corps et ton âme, tu comprendras que ma place n'était plus à tes côtés.
Je devais aller du côté où ça avait déjà vécu. Je n'ai jamais regardé l'avenir avec tes yeux, dans lesquels tout perd de sa lourdeur.
À part ça, je mange un pamplemousse presque tous les matins et je ne lève plus le nez sur la verdure d'une salade, quand elle sait se présenter.
Tu vois, tu auras réussi au moins ça avec moi.
Je veux que tu saches que je suis parti comme je pensais que tu l'aurais souhaité. Et puis, tu dormais si bien que l'idée de te réveiller prenait des allures de crime contre l'humanité.

Je n'ai vu à peu près personne depuis mon arrivée. Je prends mon temps pour m'installer.

Tu n'aimerais pas cet appartement.

Montréal a changé mais pas suffisamment pour que je ne m'y reconnaisse plus.

Je crois que tu n'aimerais pas Montréal non plus.

Je veux m'acheter une grande toile, mais je n'ai pas de couleur. Dis à Julio de m'envoyer de l'argent aussitôt qu'il aura vendu un tableau. Je n'en manque pas encore, mais ça viendra tôt ou tard. Dis-lui que l'époque des promesses est révolue et qu'il est grand temps qu'il me montre ses talents de vendeur.

Dan

P.S. I hope you're not loosing your French. Here everything gets lost.

Quand je frappe à la porte de Maryse, je suis prêt à tout. Je n'ai rien décodé de l'urgence qui se cachait mal dans sa missive. Rien de clair, mais un ton que librement je me permets d'interpréter. Donc, j'imagine tout, y compris les trucs les plus doux qui se terminent au petit matin à bout de souffle.

Je sais bien que je suis trop vieux pour imaginer sans blêmir l'état dans lequel je serais au beau milieu de la nuit, mais j'aime bien rêver et me voir au petit matin avec un sexe encore alerte et capable de répondre aux tout derniers désirs.

Quand elle ouvre la porte, Maryse laisse échapper un long « oufff » qui me ramène subito sur terre. Jamais une fille n'a eu suffisamment envie de ma charpente pour l'exprimer avec tant de conviction. Je conserve bien sûr quelques bon souvenirs mais jamais rien d'aussi intempestif.

Bref, elle ne cherche que mon estimation de son travail, et dans ma tête, ça débande.

Je marche sur ses pas pour aboutir devant quatre petits tableaux alignés sur le mur. Difficile de dire un mot devant ça. C'est son cœur, son âme, sa parole instinctive qu'elle me donne à voir. Plus que ça, c'est elle. Elle avant, elle après... Elle vivante à l'instant et morte dans une seconde.

C'est clair, elle attend mon verdict, que je pose un diagnostic, que je dise un truc qui va la relancer...

Ou la tuer.

J'ai horreur de ça.

Pourquoi les gens font-ils ce genre de chose ? C'est comme se tenir au bord du toit d'un immeuble en invitant la tornade… A-t-on idée de se placer la lame sur la gorge et de mettre ma main sur la poignée du sabre ? J'ai passé l'âge d'assassiner les espoirs et de foutre le camp une fois le cadavre bien refroidi. J'ai, de toute façon, le verbe un peu mou pour ce genre de truc.

Et puis, merde, ce n'est pas vraiment de ses talents de peintre que je pensais qu'elle voulait m'entretenir.

— T'as raison, c'est moche, déclare-t-elle devant mon silence en me tendant une bière.

Je lui lance mon plus beau sourire en lui expliquant que ce n'est vraiment pas la fin du monde de ne plus savoir où l'on va. J'épice mon propos de quelques exemples d'artistes que j'ai connus à Toronto et qui ont à peu près réussi à traverser leur désert. Je tais quelques déchéances et surtout celle du suicide raté de Malcom Burdon, qui coule ce qui lui reste de jours à gober des mouches. Mais, sincèrement, je ne mettrais pas ça sur le compte de la peinture.

Je n'aime pas vraiment ce qu'elle me montre, mais j'apprécie grandement cette façon qu'elle a de décréter que c'est de la merde quand c'en est, sans pour autant se répandre sur les urgences de l'âme.

Même pas le moindre trémolo dans le ton.

Rien.

Elle m'entretient de son ambitieux projet d'exposition qui consiste en la production de plusieurs tableaux de petits formats qui viendront, au moment de leur accrochage, créer l'image dans l'espace de la galerie.

Bien sûr, elle est un peu pute, comme nous tous, mais elle manie plutôt bien le verbe qui nous fait oublier les concessions marchandes de son approche.

— En fait, je manque de temps. Avec toutes ces occupations que je me mets sur le dos, elle précise.

Me voilà avec, sous les yeux, une militante. Une vraie de vraie. Du genre qui saute d'un comité de ceci à une réunion pour cela. Une femme toute jeune qui en a long à étendre sur le dos du monde et qui doit être parfaitement à son aise quand il s'agit de le châtier.

Je suis en pays de connaissance donc ?

Une rédactrice de tract comme Rosa-Lux ? Avec des mots comme des lames qui lacèrent le tissu social sans jamais rien éclabousser ? Je ne sais pas pourquoi, mais quelque chose me dit qu'elle est d'une autre race. Une de celles qui ont été vaccinées contre la rage et les excès.

Elle me lance quelques causes à la volée. On passe de la misère des sans-abri au déboisement intempestif de la forêt de l'Abitibi sans oublier la couche d'ozone qui commence à ressembler à un gruyère. C'est, j'imagine, ce qui explique les cernes qui se dessinent sous son regard.

— C'était bien, à Toronto ? elle me demande.

Je hausse les épaules en cherchant un truc intelligent à décocher. J'ai longtemps comblé mes trous de mémoire, ceux que je m'inventais, avec ce que j'avais sous la main sans jamais trop m'interroger sur le sens de ce qui se présentait. Généralement moches et de passage, ces trucs-là m'ont tout de même permis de traverser le temps sans trop m'accabler de ce qui n'arrivait jamais. Les choses tombaient d'elles-mêmes et je ne cherchais pas à comprendre, me contentant d'accueillir ce qui me basculait dessus. D'ailleurs, tout n'était pas si moche. Le seul problème, c'est qu'il n'y avait aucune suite à rien.

Le fait est que je me suis rondement emmerdé les premières années et je ne compte plus les quiproquos nés du fait d'avoir dans la gueule une langue qui resterait toujours étrangère. On apprend d'abord à la tremper dans l'alcool, à la rouler dans la bouche des filles et puis…

Faut bien vivre.

Bref, le reste vient tout seul. On bouffe, on dort au chaud, on baise, on boit, on se fait des amis, on s'engueule sur des principes idiots, on travaille, on fait des projets, on est déçu, parfois ravi, on prend de l'âge, on pleure quelques fois, on rit quelques fois, on serre la pince à de sales types, on drague la mauvaise fille, on finit par avoir de vrais copains et on trouve le moyen de prendre du poids.

— Finalement, Maryse, on respire là-bas un air aussi vicié et nécessaire qu'ici.

— Et cette photo, qu'elle demande en pointant le doigt vers chez moi, cette fille dans son hamac, c'est une copine de Toronto ?

— Ben non, Maryse...

Que lui dire ?

Par où commencer ?

Bien sûr, en m'efforçant un brin, je trouverais les mots mais pourquoi, au juste ? Assouvir sa curiosité ou me bercer dans les flots du passé où, ma foi, je risquerais de m'évanouir ?...

Je parle de quoi ?

Ses hanches ? Son cul ? Ses seins ? Faudrait d'abord commencer par ses yeux.

Et puis quoi encore ?

Dire comment ils me traversaient ?

Comment ils me donnaient envie de virer le monde sens dessus dessous ?

Lui expliquer comment, le soir à ses côtés, je me sentais d'attaque pour repeupler la planète ?

— Ben non, Maryse, on était militants, un peu comme toi maintenant, je lance en riant.

Puis, je commence à lui expliquer qui était Rosa-Lux mais, comme si ma mâchoire n'allait pas assez vite, elle lui fournit du carburant sous la forme d'une bouteille de chardonnay fraîche sortie du frigo. Pour ne pas être en reste, j'extrais un joint de ma poche et suis très heureux de la voir si réceptive.

On goûte les drogues, on se détecte et se jauge un peu. On prend le pouls des humeurs de chacun en attendant les petites étincelles qui souvent jaillissent dans ce genre de soirée.

— Et puis ? elle insiste.

... et puis je me lance dans une explication qui me semble vaporeuse mais d'où je tire un certain plaisir. De parler de Rosa-Lux me la fait sentir rôder dans ma mémoire, où flotte une odeur de révolution et de sang qui ne coagule jamais. Pas de cadavre, sinon ceux qu'on s'inventait, abstraitement, et qui tenaient dans un dé à coudre tellement on regardait ailleurs, là où le besoin inconsolé nous guidait. Avec elle, on prenait les virages à cent à l'heure parce que ça urgeait, la panique de se retrouver ailleurs, là où la raison s'accommodait des raccourcis nécessaires.

Je dis, j'appuie et précise qu'elle savait vivre ses désirs de chienne, auxquels je répondais en levant la patte et en dressant la queue.

Maryse pose beaucoup de questions et je réponds souvent à côté, sans chercher à comprendre la raison de cette digression qui m'entraîne parfois vers des feux que je croyais éteints.

Je parle longtemps, puis la magicienne fait apparaître une autre bouteille et décide de me garder pour la nuit.

❏

J'ouvre l'œil avant elle. Forcément, il y a un rayon de soleil qui ne vise que moi. Je promène mon regard encroûté sur les murs et considère que, finalement, Maryse a le sens de la couleur. Il manque à mon avis un peu de drame, un traitement des couleurs qui ajouterait un peu de profondeur, mais l'ensemble est assez joli et le propos plutôt intelligent.

Il y a de la vie qui se manifeste sur mes pieds. Je sens qu'entre l'édredon et ma chair on me fait signe. Je lève la tête et un chaton tente de se faire un nid sur mes mollets. J'essaie de l'expédier d'un geste brusque, mais il s'entête, se bat contre un ennemi imaginaire et finit par nicher entre mes jambes que, docilement, je consens à ouvrir.

Les doigts écartés, j'enfile ma main dans ma tignasse et reconnais une évidence, j'ai baisé comme il y a longtemps que ça ne m'était pas arrivé. Si je force un peu ma mémoire, je me remémore certains passages qui me donnent envie d'affirmer que la vie est une sacrée boîte à surprises des fois.

Je ne sais plus trop jusqu'où je suis allé en parlant de Rosa-Lux. Tout comme pour Toronto d'ailleurs. J'ai menti un peu, il va sans dire. Elle en a fait autant et l'air s'adoucissait. On s'est mis sur le mode de la séduction, là où les demi-vérités s'imposent et forcent le jeu. L'univers s'est dressé entre nous pour, peu à peu, se ramollir, se liquéfier quand Maryse a abattu ses cartes afin que la partie, la vraie partie, commence enfin.

Au lit, elle a d'abord posé sa tête sur ma poitrine avant d'ajouter quelques nuances aux propos tenus plus tôt. « Le problème avec vous, les marxistes post mai 68, c'est que vous vouliez que la révolution vienne confirmer votre idée de la révolution. C'est d'abord et avant tout pour vous que vous espériez la révolution. Maintenant, avec nous, c'est tout le contraire. »

Il me remontait à la tête quelques citations de Marx sur l'avant-garde révolutionnaire, mais son doigt fouillait les poils qui se dressent sur mon torse.

Alors, pas étonnant si j'avais l'esprit ailleurs.

Maryse bouge un peu, puis étire longuement ses membres et incite le chaton à quitter son nid pour attaquer la main qui se présente.

«Hummmm…», elle fait à quelques reprises, comme pour scander son réveil.

— Hummmm… Quand on étire les membres comme ça, ça ouvre les pores de la peau et ça permet au sommeil de sortir, elle dit tout en me tournant le dos.

Ma main glisse de son épaule à sa hanche et je lui propose qu'on aille se taper un petit déjeuner avec tout plein de fruits juteux dans le resto de son choix. Elle laisse sortir encore un peu de sommeil de sa chair avant de me mettre les yeux devant les trous.

— T'es malade ? Avec tout ce qu'on a bu… Je me concentre et tente d'oublier que je devrais aller vomir avant que mon foie éclate, dit-elle en se levant prestement.

Chez Maryse, il n'y a pas de chiottes, alors je lui lance ma clé afin qu'elle n'ait pas à se rendre, emmitouflée dans une couverture, au bout du corridor. Elle la saisit au vol, tire la couverture qui me recouvre et presse le pas vers la sortie en me laissant nu comme un cul de singe. Le chat, dont j'ignore le nom, la suit et stoppe sa course avant de se faire coincer les moustaches dans la porte qui se referme sur lui.

De mon côté, j'ai beau avoir les commodités, comme on dit, l'intimité se trouve drôlement bafouée quand j'entends les efforts que déploie Maryse pour se vider l'estomac.

Putain, il faut payer combien pour se libérer de ses excès en toute confiance ?

Elle sourit quand même à son retour et je me demande comment elle fait ça. Moi, je serais effondré. Anéanti par cette idée que je viens de cracher la moitié de mon être et que tout ça file, poussé par la chasse d'eau, grossir le fleuve.

— Ça va ? je m'inquiète.

Son sourire me rassure malgré un visage vidé de son sang. Elle dégueule comme une grande fille. Sans se plaindre, sans chialer et surtout sans m'emmerder avec ses complications digestives.

— Vraiment belle, j'entends avant de la voir sortir de sous la couverture qui la drape la photo de Rosa-Lux.

— Oui, vraiment, je réplique.

— Tu veux qu'on la retrouve ?

Voilà, ma parole a dû me devancer et elle a sans doute une bonne longueur d'avance sur ma conscience.

Comme je n'ai qu'une vague idée de ce que j'ai ardemment raconté, j'imagine le pire. Nu et confondu, je cherche mais ne trouve rien qui puisse m'aiguiller sur cette question qu'elle me lance. Je conclus rapidement que j'ai sûrement livré une marchandise dont j'ignore la nature mais qui allume Maryse.

L'embrase, presque.

— Moi, j'aimerais connaître une femme comme celle-là. T'as envie qu'on s'y mette ensemble ?

Je ne sais pas vraiment si j'ai envie de replonger dans tout ça. Mais dans la tête de Maryse, les choses vont si vite que j'ai peine à trouver le temps de répondre aux questions. En fait, je crains que, si je m'enfonce dans ce truc, je ne pourrai pas m'arrêter à la taille. Tout va y passer. Même la tête.

Surtout la tête.

Je ne peux pas lui expliquer ça en cinq minutes. Et même cinq minutes... À la voir s'agiter, je doute qu'elle en ait la patience.

— Alors ?

Je ne connais que son prénom. Le reste du temps, c'était Rosa-Lux qui envahissait jusqu'à sa moelle. Julie, c'était pour la loi, les règles, ces petites paperasses dont on nous afflige. L'identité comme caution, comme salut et assurance qu'on est bien de la race des fichés. De ces immatriculés qui n'ont plus le choix et finissent par ramper, faute de mieux. Et même ça, ramper, ils finissent par trouver ça confortable.

Julie, c'était pour tout ce que Rosa-Lux combattait.

— Mais réponds…

Je vois d'ici Julien se foutre de ma gueule en me regardant voguer sur une mer asséchée au fond de laquelle se bâtissent des projets de pacotille qui ne résisteront pas au moindre vent. Je me vois d'ici truquant les faits, justifiant ma démarche, trouvant n'importe quelle voie de secours pour prendre le large, jurant que ce qu'il y a dans mon dos ne vaut même pas la peine que je me retourne.

— Ça serait pas si difficile…

… sans compter qu'au bout du compte il y a forcément la déception. Chez elle comme chez nous tous, le temps a dû ravager le paysage. Ses drapeaux, si rouges fussent-ils, sont sûrement en berne. Ses grognements de l'ancien temps sont sans doute devenus des mots doux qu'elle lance à l'occasion pour ne pas renier complètement son passé.

— Je suis certaine que tu aimerais la revoir.

Et puis merde, elle n'est pas centenaire. Quelques ridules aux commissures, bien sûr, mais encore toute pleine de sève qu'elle laisse dégouliner de temps en temps. Le monde est moche, et Rosa-Lux gueule sans doute encore. Ne serait-ce que dans quelque coin de sa tête. Cette reine du slogan improvisé doit fréquenter encore quelques formules qui font chavirer les astres et fermer les poings.

— C'est O.K.?

Et moi non plus, je ne suis pas centenaire. Le rêve a le muscle un peu moins ferme, mais je suis encore capable de relever quelques défis. Foi de Maryse qui vient à peine de se taper l'expérience presque athlétique d'un baiseur qui sait encore s'y prendre quand on se donne la peine de l'allumer un peu.

Presque rien.

Un mot, un geste ou un regard un peu plus pénétrant qu'à l'accoutumée...

Tout ce que Rosa-Lux savait dégainer avec adresse.

— C'est oui ?

— T'imagines un peu la mise en scène ? je lui demande.

— On se met tous en scène. Pourquoi nous, on ne déciderait pas du décor ?

Je dois avouer que c'est pas mal comme réplique, même si ça ne rime à rien. Moi qui ne sais dire que les choses collées au moment et qui s'inscrivent dans le fil du temps, je dois avouer qu'elle vient de me la boucher.

— Ça va, je me décide à répondre en attrapant la photo qu'elle me lance.

Je regarde Julien, dans l'embrasure de la porte, et j'ai peine à croire qu'il est là, devant moi. J'imagine tout ce qu'il a dû déployer comme finauderies pour que Catherine détache enfin sa laisse. Cette fille me donne l'impression que, sous sa pudeur délicate et feinte, se cachent des crocs de fauve. Cette intuition me vient de la façon qu'elle a de nous regarder droit dans les yeux sans jamais nous voir vraiment.

Je sais bien que ce genre de personnes existe, mais ce qui me chagrine, c'est de voir Julien plier les genoux sous la promesse de quelques caresses.

Il n'a pas encore desserré les mâchoires et se contente de promener son regard dans tous les coins. Assis sur le rebord de la fenêtre, je l'invite à entrer sans vraiment savoir de quoi il retourne. Il reste aussi immobile et muet qu'une pierre. Je ne perds pas patience, mais son attitude commence à me nouer les nerfs. Il tend le bras vers le vide et pointe l'index tout en avançant.

Il porte son beau chandail bleu. Exactement le bleu qu'il faut pour que ses yeux s'allument comme des phares. À moi, il ne peut faire le coup. Déjà, il y a longtemps, il s'affublait de cette teinte en sachant parfaitement que les filles craquaient d'envie de s'en approcher, croyant ainsi saisir le bonheur au bout de quelques enjambées.

C'est l'époque où il ratissait large et où la récolte était abondante.

— Tu n'as rien fait depuis que tu es ici ? il s'étrangle. Aucun meuble... Même pas une chaise ? Et ça, il dit en désignant mon sac de couchage, c'est ce qui te sert de lit ?

C'est à mon tour d'être changé en statue. J'encaisse le coup, mais je trouve quand même curieux cet air dédaigneux qui lui barre le visage et lui donne une tête de limace.

Non mais merde, je rêve ou quoi? Avec tout ce qu'a vécu ce gars-là, comment il s'y prend pour encore s'étonner du dépouillement?

Lui qui a dormi dans des réduits, baisé dans des ruelles sombres et bouffé des miettes…

Ça ne prenait que ça? Un triste salaire de pigiste pour se payer l'illusion qui balaie le passé?

La pauvreté est un chant et la poésie, sa musique!

C'était de lui, ça. Je peux mettre ma tête à prix sur ça. J'ai ces quelques mots sur un des milliers de bouts de papier qui dorment dans mes boîtes. Je me souviens qu'on avait peint ces mots sur un mur au coin de la rue Saint-Laurent et de l'avenue du Mont-Royal. En bleu. Je n'étais pas d'accord avec la couleur. Il n'y en avait que pour le rouge à l'époque.

Faut-il qu'on lui colle les épaules au mur pour qu'il s'ouvre les yeux? qu'on lui remonte un genou dans les couilles pour que reviennent les odeurs de ses anciennes misères?

Je m'allume une cigarette et cherche mes mots pour finir par en cracher quelques-uns d'une banalité qui me fait frémir.

— Tu sais, pour le moment, le mobilier est un détail dont je peux très bien me passer. Disons que je m'acclimate. Mais il y a ça, j'ajoute en montrant l'ordinateur qu'il regarde à peine. Sans compter que j'ai quelques promesses de tableaux d'épinglées un peu partout sur les murs.

Mais elles aussi, son regard les traverse.

Ciel! que j'aurais souhaité un bon mot pour ce sac de couchage. Qu'il se souvienne de cette vieille chose que je trimballe depuis toujours. Ma vraie demeure, en fait. La seule chose que j'ai habitée avec un peu de conviction. J'aurais aimé qu'il se rappelle que je le lui ai laissé toute une nuit pour qu'il la passe bien au chaud avec une fausse blonde alors que moi, j'errais comme un loup dans une nuit sans lune. Une trotskiste en plus, avec un cul du tonnerre, soit, mais une conscience sociale drôlement carencée.

Il se tait.

Ses yeux scrutent, sa tête enregistre, mais sa bouche semble verrouillée, avec la clé en dedans.

Ce que je crains le plus, c'est une autre giclée d'inepties. Ou, pire, une rafale de silence qui tendrait mes muscles jusqu'à les faire éclater.

Depuis quelque temps, je négocie plutôt mal les petites contradictions de l'existence, mais je finis tôt ou tard par enfoncer les poings dans mes poches jusqu'à ce que l'orage passe.

Je me rue sur la cafetière et Julien se décide enfin à poser son cul sur le rebord de la fenêtre. Sans le perdre de vue, j'augmente le volume de la radio où Julien Clerc répète encore et encore que *La fille aux bas nylon*, ben merde, elle est bandante.

La vapeur du café embue les verres de Julien et, pour la première fois, je le sens dans les câbles. Sa belle et rigoureuse assurance se perd derrière deux petits écrans de buée. Ça ne lui laisse que très peu de chances. N'importe qui pourrait s'amener et lui casser la gueule sans même qu'il voie venir la charge. Quand je pense à tous ces « ennemis du peuple » qu'il cultivait à l'époque, je me dis qu'on ferait la queue ici pour venir lui régler son compte.

Je vide ce qui reste de mon café dans l'évier, passe la tasse sous le robinet et ça devient le signal du départ. Il vide la sienne d'un trait, se lève et sort un pan de sa chemise pour torcher ses lunettes.

— Plus vite on part, plus vite on arrive, il déclare le plus sérieusement du monde.

J'ai presque envie de lui décerner une médaille pour l'excellence de cette déduction.

La radio se met à vibrer d'une autre chanson de Julien Clerc. La troisième depuis le matin.

— Tu crois qu'il est mort ?

— Qui ça ?

— Ben, Julien Clerc, je précise. C'est la troisième depuis le matin. Souviens-toi quand John Lennon s'est fait descendre, on en a eu pour trois semaines à entendre ses succès. Me semble que c'est suffisant pour que je m'inquiète de la santé de Julien Clerc.

En prenant le sac qui me sert de valise, je jette un coup d'œil sur l'immeuble d'en face et je remarque qu'il est imbibé de lumière comme si le soleil ne luisait que pour lui dans ce quartier.

— S'il faut que le soleil se mette à choisir là où il luit, je dis à Julien, on n'est pas sortis du bois.

Mais il se trouve déjà devant l'ascenseur.

❏

On roule depuis déjà un bon moment et Julien me cause en long et en large des contrats qui l'attendent, des projets qui se bousculent et des petites bricoles qui s'ajoutent. Bref, il me narre tout le plaisir qui vient avec la stabilité.

Chacun son univers, je me dis. Moi, je rafistole et lui, il érige et, entre les deux, croit-il, le bonheur n'hésite pas des lunes.

«Pourquoi tu fais tout ça ?» me demande Julien, juste au moment où nous quittons l'autoroute pour emprunter une route secondaire. J'envoie valser ma cigarette par la fenêtre, puis je prends un moment pour l'examiner et je commence à comprendre qu'il n'arrive pas à imaginer que, contrairement à lui, on puisse vivre en attendant, et qu'il ne sert à rien de perdre haleine quand on ne sait même pas après quoi on a envie de courir. Je regarde le ciel parce que je sais que ce simple geste va nous empêcher de nous embourber et qu'en moins de deux on va passer à autre chose.

Ça, c'est un réflexe ancien qu'il m'arrivait de pratiquer. Fermer ma gueule et laisser au temps le soin de bringuebaler ce qui venait m'obstruer l'esprit.

Au fond, je l'envie presque d'avoir la mémoire si courte. Je donnerais la moitié de ma vie pour oublier l'autre moitié qui reste. Celle qui pèse une tonne et dans laquelle je me prends souvent les pieds, faute de pouvoir les mettre sur du solide.

❏

Toutes portes ouvertes, la camionnette nous sert d'écran alors que nous pissons généreusement. Lui, sur l'herbe tendre et moi, sur une mince plaque de neige qui s'entête devant un printemps qui commence à prendre du muscle.

Plongeant mes yeux au bout du champ, je réalise que je n'ai pas vu la campagne depuis mon départ pour Toronto. Plus de deux décennies sans voir ça. La vraie campagne, j'entends. Heather, hippie de la deuxième cuvée, avait tout du discours qui nous tire vers la nature. Dès les premiers instants avec elle, j'ai su que l'avenir nichait de son côté, là où ça sentait bon la lavande et où l'alcool coulait en douce. Même les drogues, elles se prenaient sous forme de *cookies* accompagnés d'une tisane qu'elle infusait avec précaution.

De la campagne, elle avait tout emprunté, sauf les champs, les montagnes, les arbres qui plient sous le vent, les rivières, les bêtes...

Bref, je me retrouve devant ce paysage qui s'étend très loin pour s'élever en gigantesques montagnes où je ne peux m'interdire d'imaginer une faune livrée à ses lois.

— Tu vas commencer par quoi ? me demande Julien en se secouant.

Je lève les yeux du champ qui me fait face en appréciant le léger frisson que procure le dernier jet.

— Si ma mémoire est bonne, je réponds, aucune truite ne pouvait résister à la mouche parmi les mouches, la Sweeney Todd ?

(Dans les années soixante, Dick Walker a créé la Sweeney Todd, une mouche artificielle à aile cramoisie qui était appréciée par la truite arc-en-ciel et la mouchetée. Utilisée dans des tailles diverses, elle est depuis toujours prisée par les truites affamées, rageuses et naïves. Dans ma mémoire lézardée, je garde ce passage du *Guide Sotherby's de la pêche à la mouche*. Ça et quelques passages des cinq essais philosophiques de Mao Zedong.)

Il ne nous reste que quelques minutes à rouler sur ce chemin récemment asphalté. J'attrape, du coin de l'œil, quelques éclats luisants du lac qui se faufilent entre les troncs qui s'élèvent. Le vieux chalet est, selon Julien, devenu aussi confortable qu'une maison de poupée. Ce qui ne correspond en rien aux souvenirs que j'en garde. Bien sûr, à l'époque, il y avait la révolution prolétarienne au bout de chacune de nos phrases, alors... Et le moindre confort devait être entendu comme une déviation petite-bourgeoise.

Un sourire fend la gueule de Julien aussitôt qu'on sort de la camionnette. Cette maison-là, c'est pour lui beaucoup plus que les souvenirs qui s'empilent et qui viennent nous bercer. C'est son nid, là où, à la moindre occasion, il vient se blottir et se remplir les poumons d'un air débarrassé de toute la merde qui flotte au-dessus de la ville, comme il se plaît à le répéter.

Il y a même des rideaux aux fenêtres, et les pins qui entourent le chalet sont devenus des géants.

— Putain, Julien, ça fait combien d'années que je ne suis pas revenu ici ?

Ils sont si grands que je jurerais que les nuages viennent s'y fendre quand le vent se donne la peine de pousser un peu. Je le dis à Julien, qui se tord. Et pourtant, c'est lui qui répète sans compter qu'il faut voir grand.

Le cul bien installé sur le pare-chocs de la camionnette, on laisse passer le temps, histoire de permettre à l'air frais de nous dépoussiérer l'esprit. Ça ne se bouscule pas vraiment dans ma tête, mais il me vient quand même quelques souvenirs. Pendant que Julien me fait part de ses projets, que je trouve outrageux pour la nature des lieux, je tente de bien m'ancrer la tête dans le vent qui transporte tout. À un moment, je lève le doigt vers le ciel pour finalement reconnaître que les nuages ne se fracassent jamais sur rien.

Lui, trouve que le fond de l'air est frais et que c'est vraiment pas le moment de tomber malade, alors que moi, je sens toute la chaleur du monde qui me chauffe la poitrine. Le monde d'avant et celui qui s'annonce. J'aime bien voir mon avenir large comme une entrée d'autoroute quand le sol est sec et que la vitesse ne représente aucun inconvénient, sinon celui de voir défiler tout ce que je ne pourrai jamais toucher. Mais on ne peut pas tout avoir, paraît-t-il.

— T'en fais pas pour moi, Julien, je lui lance. Chaque fois que je me suis cassé la gueule, j'ai pansé mes plaies tout seul.

À ce moment, agrippé à une branche, un pic entame ses travaux et il me convainc que le temps est venu d'aller jeter un coup d'œil à l'intérieur.

❏

On coule quelques bières en discutant d'un tas de trucs que balance Julien, çà et là, sans jamais s'emmêler dans les nuances qui nuiraient à l'ampleur de son propos. Tout, dans sa bouche, va vers l'avant. Quand je tente de ralentir sa course, il balaie l'espace d'une main molle et repart avec plus d'entrain. Le passé de Julien s'est toujours résumé à quelques rictus bien placés dont il a encore le secret.

Et pourquoi pas, me dis-je, en soutenant son regard qui s'embrume derrière la fréquence du joint qu'on se passe l'un à l'autre. Et pourquoi toujours chercher son ombre ?

— Hein, Julien, je te le demande : à quoi ça nous mène ?

Il éclate d'un grand rire avant de reprendre le crachoir.

La question qui se pose à nous, c'est de savoir comment on va s'y prendre pour séduire la truite du ruisseau Kennedy, demain, à une heure qu'on souhaite matinale. Le coffre à mouches bien ouvert sur ses genoux, il caresse quelques plumes du bout de l'index en me jurant qu'il a fait des miracles avec la March Brown et qu'on aurait tort de la négliger.

— Et la Sweeney Todd ? j'arrive à bredouiller.

Mais faut bien reconnaître qu'on est givrés jusqu'à la moelle et que l'élaboration du moindre plan de match devient tout aussi ardue que l'ascension des plus hautes montagnes. On s'entend donc pour proclamer qu'on a assez de cœur au ventre et d'instinct pour se tirer d'affaire.

Pendant le trajet, Julien a eu la délicatesse de m'inviter à le suivre chez son copain Mark, qui donne une petite fête printanière.

J'ai chialé, pour garder la forme, puis j'ai accepté.

— On n'est pas trop dans les vapeurs ?

Il me jure que non et, l'un après l'autre, on saute dans la douche. L'exercice ne vise pas tant à nous décrotter le corps qu'à diminuer le brouillard qui nous enveloppe le cerveau. Aussitôt sorti de la douche, je tombe sur un Julien endimanché qui regarde sa montre et me dit qu'on est en retard.

— Pas comme ça, je lui dis.

Je lui tords un peu le bras, mais il finit par reconnaître qu'un café corsé devrait nous rendre plus présentables.

En moins de temps qu'il n'en faut pour l'écrire, on traverse la clôture du vaste terrain de Mark Jenson.

— Mais c'est en face de la baie des Anges ! je m'étonne.

— Tu te souviens de ça ?

Comment oublier ce coin perdu où nous allions nous secouer corps et âme à la moindre occasion ? Ce coin de paradis que si souvent on transformait en véritable enfer avec notre propension à la fête et nos idées de tout transformer. Et puis, si ma mémoire ne me joue pas de tours, il me semble que Rosa-Lux aimait bien aller s'étendre sur la grosse pierre qui surplombait la baie.

Il y a déjà beaucoup de rutilantes bagnoles, des bonshommes accompagnés de femmes souvent plus jeunes qu'eux et quelques enfants qui savent se tenir. Le soleil inonde la place et je me dis que tout est réuni pour couler un après-midi qui sera moins pire que ce que j'appréhendais.

Mark s'avance vers nous avec des épaules de footballeur qu'il redresse sans la moindre discrétion.

Illico, une vérité toute crue s'annonce : je vais devoir mentir. Devoir sourire quand j'ai envie de hurler... Parler quand j'ai envie de gueuler...

Sacré Julien, je me dis en risquant ma main dans celle de Mark Jenson. «Enchanté.» Pas de doute, ce gars-là accueille l'avenir avec une accolade. Il a beau me vanter les beautés de la nature, ce qui est une évidence criante, je n'arrive pas à sentir la moindre sincérité dans le ton. Bien que je sois tout à fait d'accord avec lui sur l'élégance du grand pin qui jouxte sa demeure, il y a une étincelle dans son regard qui me laisse entendre qu'il ne le voit pas. Il nous lance un clin d'œil et disparaît derrière quelques invités.

D'un signe de tête, Julien m'indique que les boissons sont juste à notre droite et qu'il serait vraiment trop con de s'en priver. Il me présente sommairement à quelques personnes puis disparaît à son tour. Je dis « oui », je dis « non » et je souris, mais je ne m'attarde sur personne. Ils ont tous une petite merde au bord des lèvres qui finit par me décourager de tout. Bref, je saisis aisément que, si je veux que le temps ne pèse pas trop lourd sur mes épaules, vaut mieux que je le passe dans l'indifférence, aidé par les vapeurs qui me traînent dans les veines.

Ce qui me console, c'est que le chalet de Julien se trouve à dix minutes de marche tout au plus. Je pourrai, au moment voulu, m'éclipser sans faire de bruit.

En douce. Ni vu ni connu… Et je parierais ma vie que personne ne s'inquiétera de ma disparition.

J'avale quelques canapés ornés de trucs bizarres mais qui calment quand même le ressort qui s'étire dans mon ventre. À un moment, je m'attaque à une grappe de raisins lorsqu'un garçon, ou une fillette (j'ai toujours du mal à faire la différence quand c'est en bas de vingt ans), se cogne sur moi et que le vin de mon verre vient mouiller les fromages et une partie de ma chemise. Alors que je me désole, une fille s'avance vers moi et se munit au passage d'un chiffon. Elle éponge et me prie d'excuser la petite chose qui déjà cavale à l'autre bout du terrain. Je suis en train de lui demander de ne pas mourir pour si peu lorsque Julien s'amène avec son grand copain Mark Jenson. À voir ses yeux à celui-là, je devine rapidement qu'il n'a pas perdu son temps. Les yeux traversés de petites veines et le regard plus épais qu'à mon arrivée, je comprends aisément qu'il s'est envoyé toutes sortes de trucs.

— Daniel, il me lance approximativement, je te présente Estelle, mon épouse.

Elle est belle et avenante, bien qu'il me semble qu'elle porte la jupe un peu courte pour une femme qui approche la quarantaine.

Ces deux-là vont inévitablement finir par se casser les dents. C'est du moins ce qui me vient à l'esprit au premier regard et, comme j'ai mon lot de drames, je décide de foutre le camp en laissant Julien à son bon voisinage.

❏

Du petit balcon de la cabane de Julien, je peux voir la presque totalité du lac, qui se chauffe sous un soleil convaincant. Sur ma droite, une série de jeunes épinettes m'empêchent d'apercevoir la baie des Anges, qui était un peu, au moment des espoirs démesurés, le cimetière des monuments d'une société qu'on prenait plaisir à crucifier.

Tout y passait.

L'éducation mal fagotée, le capital jamais repu et les guerres injustes. On profitait secrètement du moment pour jeter quelques pelletées de terre sur nos familles qui, tout compte fait, ne pouvaient nous donner ce qu'elles n'avaient pas reçu.

Un matin, sous un soleil levant, Rosa-Lux et moi, nous avons rédigé un tract destiné à supporter la lutte des travailleurs de la Commonwealth Plywood qui se faisaient rudement chier avec un employeur qui se foutait totalement de ceux qui les enrichissaient.

Elle avait une détermination fabuleuse et moi, une connaissance grammaticale sur laquelle ma mère avait veillé. Rosa-Lux écrivait et moi, je corrigeais en gardant un œil sur l'échancrure de son corsage où tout mon être était déjà plongé. ER ou É, les virgules aux bons endroits, bref, je récitais ce qu'on m'avait tatoué sur l'esprit, mais ma tête se remplissait de trucs qui étaient difficiles à conjuguer tellement ils étaient braqués sur l'avenir.

Puis, avec le temps qui se réchauffait, la baignade est vite devenue incontournable. D'une chose à l'autre... Ça commence toujours par un baiser innocent, ces choses-là, et...

Bref, on s'est fait plaisir jusqu'au bout et je ne me suis même pas retiré puisqu'à l'époque il n'y avait dans le sperme rien d'autre que l'aboutissement du plaisir et aucune de ces saletés qu'on rencontre de nos jours, sauf celle de se voir projeté dans un avenir incertain.

❏

Avant que l'odeur du café parvienne à ma cervelle, je profite du matelas pour m'enrouler dans les couvertures et combattre les frissons qui me parcourent. Le doigt tendu, je gribouille quelques traits à même la buée que la nuit a laissée sur la vitre de la fenêtre. J'aime ce genre d'exercice qui ne rime à rien et qui disparaît aussitôt que le jour se lève pour de bon.

Quand finalement j'arrive dans la cuisine, Julien s'apprête à servir le café et je me demande comment il s'y prend pour être aussi frais le matin. Ou bien on n'a ni fumé ni bu la même chose, ou alors je dois accepter l'idée que la résistance aux plaisirs est une qualité que la nature a bien mal distribuée. Il montre les deux cannes à pêche dans le coin de la pièce en me disant qu'il faut se presser parce qu'il ne tient plus en place.

J'attrape la tasse qu'il me tend et lui signale qu'il devrait au moins me laisser le temps de déplier les membres.

Je le laisse s'occuper des victuailles et m'attarde à ver-
ser le café dans le thermos en me disant que si la Sweeney
Todd ne séduit plus la truite, je vais prendre au hasard une
mouche artificielle et c'est avec celle-là que je vais attaquer.
S'il me reste un soupçon d'instinct, je saurai ne pas perdre
la face et remplir mon panier. Je me dis tout ça, mais au
fond je m'en fous complètement. Je n'ai pas tué d'animaux
depuis des lustres, mis à part quelques insectes idiots qui
ne pèsent aucunement sur ma conscience. Et puis, juste
l'idée de renouer avec ce paysage où je me suis usé la
plante des pieds et ouvert l'esprit suffit à me combler. Je
n'ai jamais réussi à mettre le moindre nom sur un arbre,
mais j'appréciais quand ils faisaient de l'ombre là où j'allais
reprendre mon souffle.

Saisissant le sac à dos que Julien me présente, je l'ouvre
et constate qu'il n'a pensé qu'à l'aspect solide de l'alimen-
tation. Presque avec l'habileté d'un prestidigitateur, je fais
disparaître un muscadet du comptoir de cuisine pour le
faire réapparaître au fond du sac.

À l'extérieur, la fraîcheur du matin me tire totalement
du néant dans lequel je baigne depuis le saut du lit. C'est
un peu ça, le destin des chambres d'amis : on y flanque le
vieux grabat usé et tant pis pour l'amitié qui risque de s'y
froisser.

Julien se plante devant sa cambuse sans dire un mot.
Les poings sur les hanches, il en fait l'inspection, juste du
regard. J'entends presque tourner les scies et vriller les per-
ceuses qui sont déjà dans sa tête.

— L'an prochain je fais réparer le toit et je me demande
si je ne vais pas y ajouter deux lucarnes.

Il aime beaucoup cette petite maison de campagne que,
pour ma part, je trouve sans grand intérêt. J'imagine qu'il

faut avoir le couperet sous les couilles pour tant s'attacher à une demeure sans véritable attrait. Ou bien il faut être très malheureux pour jeter son dévolu sur quelques feuilles de placoplâtre qui tiennent par magie et y voir l'aboutissement de toute une existence.

Ou, alors, il ne faut plus rêver du tout.

Moi, je n'en suis pas encore là.

Quand il retrouve ses esprits, Julien ouvre le coffre de la voiture pour qu'enfin j'y décharge le ballot qui commence à me peser. Au moment d'ouvrir la portière, j'entends une chouette pousser son chuintement. Je lève les yeux et fouille les bourgeons qui pointent sérieusement.

❏

Je regarde Julien au loin, bien planté au milieu du ruisseau avec ses cuissardes, son chapeau informe et sa veste d'où pendent des tas de trucs, et j'admire cette technique qu'il a su parfaire au fil des ans et qui me fait outrageusement défaut.

Il se tient le dos courbé comme un félin et attend que la soie de sa canne se déploie sur l'eau et que son artificielle se dépose à l'endroit précis où il estime qu'une truite n'espère que ça. C'est ce qu'il y a de bien chez Julien. Cet espoir démesuré que, tôt ou tard, il finira par avoir le vent dans le dos et que, forcément, la vie va commencer à ressembler à ses attentes.

Souvent je me baisse et, les mains en creux, je puise un peu d'eau pour en saisir quelques gouttes. Le peu que j'avale apaise le brasier que je traîne au fond de la poitrine depuis quelques jours. Ça marche, dans la mesure bien sûr où je répète l'exercice. J'enfile les cigarettes les unes derrière les autres pour chasser les nuées de bestioles qui me tournent autour de la tête et qui, à l'occasion, parviennent à m'arracher un morceau de peau qu'ils vont bouffer entre deux coups d'ailes.

Qu'on vienne me causer de la loi de la jungle quand j'ai un bras presque ensanglanté... Je ne vois pas en quoi les petits gueuletons que m'arrachent les minuscules bêtes servent à maintenir l'équilibre des espèces. S'il y a un type en voie de disparition, c'est bien moi. S'il y a un gars qui a besoin de la moindre parcelle de ce dont il est constitué pour maintenir son équilibre, il s'appelle Dan et, *please, please, please*, qu'on lui fiche la paix.

Je change de mouches comme je change d'idées quand je ne sais plus trop où donner de la tête. Julien n'aime pas ma méthode. Il m'implore de patienter... Me prie de reprendre mes esprits...

Choisir la bonne (une Adams montée sur un hameçon numéro 20, par exemple)...

Bien la poser avec le geste large vers l'arrière pour armer la perche...

Attendre. Anticiper. Agir avec naturel. Tricher avec aplomb. Tromper la nature des choses.

Forcément, ça devrait finir par rapporter.

— Mais la Sweeney Todd, merde, je lui réplique sur le ton du gars à qui on doit quelques miracles. Pourquoi elles ne mordent pas à la Sweeney Todd ?

On est en pleine éclosion et je sais bien que, à moins d'un miracle, une truite qui a vraiment le choix portera sa gueule affamée vers autre chose qu'une pâle imitation.

Mentir, imiter, leurrer, se substituer à la nature.

Je n'ai rien oublié de ce ruisseau qui sillonne dans la montagne et de ses fosses poissonneuses où nous nous sommes si souvent éreintés à bousculer quelques règlements sur la conservation de la faune.

La nature change si peu.

À un moment, je m'assieds sur une roche émergeant du ruisseau. J'ai l'impression que mon mollet tente de remplir ma botte tellement je le sens enflé. Je me roule un joint en faisant de grands signes de la main à Julien pour lui signifier qu'il peut poursuivre sa route sans moi. Je le vois traverser un rideau de branches et s'enfoncer plus en aval.

Après, je ne sais plus.

De l'autre côté de ce mur branchu, j'ignore ce que devient le paysage. Je l'ai vu et revu, mais la mémoire s'arrête devant ce rideau de branches auquel je n'ai aucune envie d'aller me frotter. Au fond, je n'ai aucun souvenir des lieux. Je n'ai que ceux que je m'invente en y plaquant les quelques images qui me reviennent.

Je sais que derrière ce mur il y a encore des arbres qui bordent le ruisseau et qui incitent à le remonter.

Je sais que, tout au bout du ruisseau, il y a un lac d'où repart un autre filet d'eau que l'on n'a qu'à suivre pour déboucher sur une route.

Je sais qu'il n'y a pas moyen de se perdre dans cette jungle.

À moins de décider de tourner en rond.

Je choisis de ne plus poursuivre ma randonnée et j'évite de la sorte les pierres arrondies et les pièges tortueux du ruisseau Kennedy où il est si facile de perdre patience et un peu de ses illusions. J'ai beau prétendre avoir la grande forme, le fait est que ces jambes-là qui m'ont trimballé de bar en bar, de chambre d'hôtel en chambre d'hôtel, elles ne savent plus très bien se comporter dans une nature accidentée.

J'ai perdu l'habitude des misères qu'on apprécie comme un cadeau.

Je laisse dériver ma mouche dans le courant en me disant que la vie ne peut pas s'acharner sur le même type indéfiniment.

J'attends Maryse depuis une bonne demi-heure devant une vitrine qui scintille et ma patience est intacte. Je siffle un adagio et souris à ceux qui me regardent. C'est sûrement le soleil qui fait ça. Sinon, tout m'amènerait à gueuler contre l'univers.

Enfin, presque tout.

N'empêche que, ce matin, j'ai gâché un tableau que je croyais bien avoir en main. Un comportement de débutant qui ne sait pas comment freiner son enthousiasme. Un vrai con qui s'imagine qu'il suffit de tenir un pinceau pour donner du sens.

Il m'a glissé entre les doigts.

Et puis, Maryse ne me parle plus que de Rosa-Lux depuis des jours. Elle est obsédée et il m'arrive de penser qu'elle m'a refilé le virus. Ou l'inverse… Mes souvenirs de jeunesse, mon apprentissage de la rage et du plaisir sans bornes sont devenus sa hantise. Elle voit mon passé avec des yeux que je n'ai pas et j'accuse le coup sans trop m'y perdre, mais je commence à sentir qu'il y a des limites à ne pas dépasser.

Elle m'a donné rendez-vous sur ce coin et elle est en retard.

Mais bon, il fallait bien commencer quelque part, et c'est alors qu'elle a eu une idée du tonnerre : « Faut retourner à l'endroit où vous vous êtes vus la dernière fois. »

Facile à dire.

Une chambre grande comme ma poche d'où on entendait les camarades fignoler les détails d'une intervention qui devait mettre le capitalisme sur le dos pour un bon bout de temps. Si ma mémoire est bonne, ça impliquait une alliance stratégique avec un groupe d'anarco-machin de Winnipeg.

Bref...

Rosa-Lux m'expliquait, et moi je pleurais comme un veau. Au diable Marx, Lénine et compagnie, celle qui me faisait rêver mettait ses gants blancs pour que je comprenne que mes bandaisons nuisaient à la cause.

— Il ne faut pas être un couple, elle disait.

Je voyais bien dans son œil cette fameuse flamme qui devait nous mener jusqu'au grand soir. Je savais bien que ce foutu monde ne se transformerait pas sans qu'on se sacrifie un peu. Tout avait un prix et c'était à moi de passer à la caisse.

— J'aimerais bien, mais tu sais comme moi qu'on a plus urgent à faire.

Nous ne nous appartenions plus. Nous étions tout dévoués à la cause. On pouvait bien s'amuser un peu, sauter sur le fruit quand il se présentait mais jamais, au grand jamais, se mettre à rêvasser qu'à deux la vie puisse être moins moche que seul, les dents serrées sur la colère.

On avait dans la gueule la clé de la chambre forte où sommeillaient les armes rutilantes de la libération des masses laborieuses, des peuples du tiers-monde et d'un monde nouveau.

Quel sale type j'étais, moi qui ne pensais qu'à l'amour et à ce qui s'agitait dans mon slip!

Elle parlait, j'encaissais, et mes yeux étaient redevenus secs. Mais bon sang qu'à ses côtés, dans un lit moelleux ou sur la pierre plate de la baie des Anges, c'était agréable d'imaginer les plus durs combats!

Sur le coup, je l'écoutais, opinais du bonnet et me faisais une raison.

Et là, je ne parle pas de la lune qui l'inondait.

Je passe aussi sous silence les vaillants mots d'ordre qui s'apprenaient comme des prières et qui en avaient souvent l'efficacité.

Et que dire, par la suite, des paroles encourageantes de mon vieux camarade Julien qui, sans trop le réaliser, me jetait à son tour dans l'abîme ?

Drôle d'époque.

J'aperçois Maryse de l'autre côté de la rue. Elle cause avec un type, tout en croquant dans une pomme. Elle est vraiment superbe, cette fille-là. Le gars dodeline de la tête alors qu'elle pointe le doigt dans l'autre direction et que ses cheveux noirs se soulèvent sur une bourrasque poussiéreuse. Elle rogne sa pomme et s'avance enfin vers moi.

— Ta palette s'assombrit ? je lui demande.

— Pourquoi… ?

— Tu as une tache de noir sur la mâchoire.

— Alors, c'est où ?

Humectant mon doigt sur ma langue pour ensuite lui enlever cette tache, je lui explique que c'est tout près d'où on se trouve et j'ajoute malgré moi que je ne fonde aucun espoir sur cette démarche. La rue et ceux qui la fréquentent n'ont plus rien à voir avec ce qui grouillait dans le coin il y a vingt ans.

Elle lève les bras pour les laisser retomber lourdement le long de son corps. Bon sang, je ne vais quand même pas lui expliquer qu'il y a des moments qui ne se reconstruisent pas.

Et pourtant…

Je me force très fort afin de mettre ma tête à la renverse et de poser le doigt sur l'ombre d'un souvenir qui ne soit pas trop douloureux. Un truc avec de la bière, de la dope et quelques plaisirs. Je revois des bars, beaucoup de salles de réunion et des tonnes d'estrades improvisées où se perchaient nos discours. J'ai beau faire, reste que c'est moins évident qu'on peut le croire de faire la différence entre la blessure et sa pommade.

Le reste du trajet s'effectue dans un silence relatif pendant lequel j'en profite pour me remplir les yeux de ce qui rend cette rue si méconnaissable. Il n'y a plus rien dans les parages qui ressemble, un tant soit peu, à ce qui faisait nos beaux jours. Même les bagnoles, elles affirment un luxe qui me lève le cœur.

— Allez, entre, fait Maryse en me poussant devant une porte qu'elle tient ouverte.

J'entre là avec la fébrilité du gars qui fout sa tête dans la gueule d'un lion. Tout peut être avalé d'un seul coup, le passé et l'avenir broyés et l'instant même qui ne fournit rien pouvant m'inciter à saliver un peu.

— On perd notre temps, Maryse.

Je n'ai pas terminé ma phrase qu'elle choit sur la première chaise qui se présente et braque son regard du côté du plafond où l'on s'est donné la peine de peindre une fresque vaguement gothique dans laquelle la maladresse est à l'honneur.

Le petit café où nous dressions joyeusement le bilan des aspirations prolétariennes est passé dans le camp adverse. En lieu et place, on se retrouve dans un bar où la ville s'est donné le mot pour venir passer un bout de soirée. Du monde partout. Impossible de poser le regard sur le vide qui, des fois, fait tant de bien quand la tête s'emballe pour rien.

Me voilà avec un cadavre de plus sur la mémoire.

— Bon, O.K., me lance Maryse. Faut pas se décourager pour si peu.

Moi, je veux bien, mais il me faut ne serait-ce qu'un soupçon d'espoir pour ne pas sombrer. Je le lui explique tant bien que mal, mais on dirait que rien n'arrive à tuer ce fameux sourire en coin qu'elle me tend. Si seulement elle faisait semblant de comprendre ce qui peut me traverser l'esprit à ce moment précis. Le soir, quand je lui frotte le dos avant nos petites gymnastiques luxurieuses, elle me semble plus réceptive.

Je l'accuse de sa mauvaise foi.

Elle hausse les épaules.

Je fixe mon regard sur un couple installé à un jet de pierre de notre table. Ils se parlent à peine et quand ils le font, c'est sans se regarder vraiment. Ou, alors, du coin de l'œil. Il y a quelque chose de mort de ce côté-là. Quelque chose d'absolument et de résolument éteint. Je ne demanderai pas à Maryse ce qu'elle en pense puisque je sais déjà que sa réponse ne me conviendra pas et qu'en plus elle sera ponctuée du sourire bienfaisant de ceux qui croient que tout est possible. Même là, devant cette paire de cadavres, elle trouvera moyen d'y voir un truc qui viendra désamorcer l'évidence.

Et pourtant, ça crève les yeux.

— Non, elle tranche, Rosa-Lux ne peut pas se trouver dans ce genre d'endroit.

— Bravo, je lance.

— … pas cette fille dont tu m'as parlé. Pas celle que j'ai vue avec son sourire, dans son hamac.

— Elle peut être partout, Maryse. C'était il y a vingt ans.

— Mais on doit la retrouver, non ?

— Oui, Maryse, on doit la retrouver.

À l'extérieur, elle plonge la main dans son sac et sort un des deux verres auxquels on s'est abreuvés.

— T'en veux un ? elle demande.

— Non, merci.

heatherb@msn.com

Bonjour Heather,
Quand j'ai enfilé la transcanadienne, direction est, le 4 mai dernier, j'avais conscience que je ne fuyais rien. Je tournais le dos, tout simplement, au temps morne, et sans éclaircie prévisible, qu'il faisait entre nous. Je savais aussi que je ne revenais pas dans ma ville pour y trouver une révélation quelconque. C'est inutile, de toute façon, ce genre de quête.
Je suis revenu ici comme si le vent m'y poussait.
Et j'ai obéi au vent.
Dis-moi, ma Louve, ai-je peur de ce qui change ? Ai-je le ciboulot ridé au point que je n'arrive plus à reconnaître que le temps sème des plaies ?
Quand je vois Julien, il m'arrive de ressentir un vertige. C'est un type bien, Julien. Tu le connais à peine, mais je te jure que c'est un type bien. Il a un peu viré sa veste, mais ça, il n'est pas le seul. Pour être honnête, je ne m'attendais pas vraiment à ce Julien-là.
Bien sûr, je ne m'attendais pas à retrouver le jeune rageur que j'ai quitté il y a vingt ans.
En fait, je ne m'attendais à rien.
Je l'aime bien, Julien, mais ça n'exclut pas que, des fois, j'ai très envie de lui casser la gueule, tellement tout baigne dans l'huile pour lui. Tellement tout est parfait...
... et que le monde renaît si promptement quand il ouvre la bouche.
Bref, souvent j'ai le sentiment que le temps l'a traversé sans rien abîmer. Ou alors, c'est peut-être que, de mon côté, il s'est drôlement parqué, le temps.

Je suis toujours sans nouvelles de toi et de ton ventre. J'imaginais que, dès que je serais parti, tu te retrouverais entre les bras d'un géniteur digne de tes hanches. Faut croire que, là aussi, je suis passé à dix mille kilomètres de la cible.

Je t'embrasse.

Dan

P.S. Tu serais fière de moi. Je m'efforce de marcher autant que je le peux et cette douleur dans le mollet a du mal à résister devant tant de bonnes habitudes.

De bon matin, je me rends chez Julien pour lui annoncer que je suis prêt à jouer au petit jeu du touriste qui découvre la terre promise. Comme je n'ai aucune idée de ce que je vais dire, j'espère que ses questions seront judicieuses.

J'avance d'un bon pas, comme si le trottoir allait s'écrouler sous mes pieds. J'ai ruminé toutes sortes d'idées une partie de la soirée d'hier et c'est peut-être là la raison de mon empressement. Sinon, je ne sais pas comment expliquer cette allure qui me pousse chez Julien.

Faut dire que Maryse met le paquet depuis un certain temps avec cette histoire de Rosa-Lux. Elle ne parle que de ça et moi, pas plus brillant, je m'allume chaque fois. Je plonge la tête la première dans le souvenir et j'en sors un peu plus en manque qu'avant d'y entrer.

Je fais ce que me dit Maryse. J'avance dans la rue avec des yeux tout le tour de la tête, au cas où... « Elle peut être n'importe où, elle me répète. Dans un resto, un bar... C'est peut-être notre voisine. » À la longue, ça finit par me tuer. Mes yeux se multiplient par cent. Ils ne regardent plus, ils fouillent, scrutent, explorent le moindre signe. J'en arrive à ne plus trop savoir ce que je cherche. Une femme sapée comme une pauvresse ? Une dame du monde ? Une vieille poufiasse craquée de partout ou cette jeune insoumise qui faisait mes beaux jours ?

Moi qui devrais avoir toutes les raisons du monde de me sentir vivant, je traîne le plus souvent une gueule d'enterrement.

Avant de me pointer chez Julien, j'achète le journal à la tabagie d'en face. À la une, on nous apprend qu'une bande

de jeunes gens vient de s'approprier une baraque abandon-
née dans l'ouest de la ville. Photo à l'appui, avec au premier plan deux squatters au visage barré d'une cagoule
improvisée. Putain ! Dans quel monde on vit si, pour
revendiquer un toit, il faut s'affubler comme Billy the Kid ?
À moins que ce ne soit que pour le côté *show business* de
l'affaire.

C'est Catherine qui m'ouvre la porte. Julien est penché
au-dessus de la cuisinière alors qu'elle, elle se promène
dans la pièce vêtue d'un slip et d'un t-shirt trop court. Je
me rince l'œil un bref instant et comme il semble que je sois
le seul que ça titille, je passe à autre chose.

— Vous avez vu ça ? je demande en brandissant le journal.

— Ils vont se faire casser la gueule, annonce Julien en
retournant les fines tranches de bacon.

Catherine enfile enfin un jeans et s'avance vers la table
en précisant que ça ne se fait pas.

— Quoi donc ?

— Ben, squatter une maison, la prendre comme si ça
leur appartenait… Ça ne se fait pas.

On a droit à quelques entourloupettes sur le respect des
autres qui n'ont pas volé ce qu'ils possèdent et qui ont bien
le droit d'accumuler des biens si ça leur chante. D'autant
plus que ces jeunes squatters ne savent rien faire d'autre
que se gratter le cul.

Je jette un coup d'œil du côté de Julien toujours plongé
dans son poêlon et qui paraît s'accommoder de l'impitoyable point de vue de sa compagne. Quant à elle, elle se
trouve soudain à deux doigts d'une crise de nerfs à cause
d'une fermeture éclair récalcitrante.

Je fixe le mur qui me fait face. En fait, c'est sur les
albums de photos de Julien que s'arrête mon regard. Toute

cette rage que nous avions et qui maintenant se trouve imprimée pour toujours.

Fichée, codée et silencieuse.

Poussiéreuse comme des vestiges devant lesquels on ne s'étonne même plus de reconnaître l'amertume des ruines.

Lapidaire.

Ça, c'est ce qui peut le mieux qualifier le type de discours qu'on tenait. Suffisait qu'on ouvre la gueule pour entendre siffler les balles.

Incendiaire.

Ça, c'était le résultat des nombreuses empoignades qu'on collectionnait comme des bijoux précieux et qu'on aimait bien laisser scintiller devant les regards indigents de ceux qui se contentaient de suivre le convoi.

J'ai vu bon nombre de mauviettes se défiler et d'autres nous emboîter le pas pour s'assurer d'être à l'abri au cas où il faudrait nous prendre au sérieux.

Ah! nous étions de puissants militants qui prédisaient la fonte du monde comme une glace au soleil.

La victoire au bout du fusil, ça ne s'obtient pas avec les mains gantées de dentelle, hein!

— Dis donc, vieux, je demande en recevant mes œufs-bacon, tu as encore des nouvelles de ceux-là?

Il se retourne du côté des albums et laisse filer un petit rire.

❑

Le vent s'en donne à cœur joie dans l'atelier. Toutes fenêtres ouvertes, il a beau jeu.

On annonce un orage.

Quelques touches de couleur viennent s'ajouter au tableau sur lequel je trime depuis une semaine et je sens que le travail tire à sa fin. Un truc vendu à l'avance, selon

Julio, qui tarde à m'envoyer ce fameux chèque qui va me permettre de penser que ça vaut encore la peine de promener le pinceau sur la toile.

Quand j'ai quitté Julien et Catherine, ils étaient en pleine guerre à propos d'une ampoule qu'ils auraient, l'un ou l'autre, dû changer. J'ai pris mon trou, comme on dit, mais je suis quand même parti avec une promesse en poche.

Après avoir rigolé, les yeux rivés sur ses albums de photos, Julien m'a dit, candidement, qu'il lui arrivait de revoir Fred, David et Richard. Des gars plus rouges que le sang, à l'époque où nos drapeaux flottaient encore.

À cause de Catherine, qui à ce moment-là portait sans doute des couches, on ne s'est pas trop longtemps étalés sur le bon vieux temps, mais je me suis quand même fait promettre un souper avec ces anciens camarades.

« Juré-craché, le plus tôt possible. »

Depuis, je ne vois personne. Julien s'enterre sous des tonnes de travail et Maryse prépare la révolution. Comme ce qui m'occupe est difficilement considéré comme un travail et que pour la révolution j'ai déjà donné, je me sens flotter dans une bulle d'air. Mon oasis, c'est le Désert du Diable où, chaque soir, les mains crasseuses et le jeans taché, je dégaine quelques banalités qui font leur chemin dans la tête de gars abasourdis par ce que Catherine leur sert.

Un soir, j'ai vu entrer une fille, jeune vingtaine, plus grande que Rosa-Lux, avec des cheveux plus pâles que les siens et des vêtements qu'elle n'aurait jamais portés.

Bref, ce n'était pas elle.

Il y avait tout de même cette petite chose qui m'a fait revenir en arrière et sentir un léger frisson. L'ombre du frisson qui me gagnait quand ma langue la frôlait et que ses mains se multipliaient par dix dans mon dos. J'ai demandé à Catherine de l'aviser que je lui offrais une consommation. La fille m'a jeté un coup d'œil et a refusé cette générosité toute simple.

Je ne sais plus m'y prendre pour ce genre de chose.

J'avale encore quelques verres en supportant les moqueries de Catherine à propos de mon échec. Je lui jure qu'à une époque les filles ne résistaient pas longtemps à mes offrandes. Et même elle, « même toi, Catherine, tu aurais flanché ».

J'aimerais bien lui expliquer que rien n'est éternel, mais je décide de ne pas m'attaquer à ces complexités et je rentre chez moi.

Je plonge mon pinceau dans une eau qui commence à sentir mauvais et je tente de me concentrer sur ce qui est déjà sur le point de sécher. Maryse est de l'autre côté du mur où ma toile prend vie. Empêtrée entre ses problèmes de couleur et les piles de tracts qui la rassurent sur sa conscience.

Après un moment et quelques hésitations, je vais pointer mon museau du côté de chez elle afin de voir comment s'y organise la vie.

Sitôt à l'intérieur, je me retrouve envahi par une musique vaguement gitane mais avec suffisamment de spleen pour donner envie de prendre le large. Je m'installe sur une chaise et gratte une tache d'acrylique qui s'agrippe à mon bras pileux. Je regarde Maryse ocrer par petites touches une plage de son tableau et le reste de l'œuvre s'agence tout seul dans mon esprit. Tout est tellement logique chez cette fille que chaque geste contient l'élan de celui qui va suivre.

Le tableau auquel elle travaille n'est pas mal du tout. Je vais même jusqu'à le lui dire.

— C'est bien ce que tu fais là, Maryse.

Ça ne la soulève pas vraiment et pourtant, c'est si rare que je dis ce genre de trucs qu'elle devrait sauter sur l'occasion.

— Je me suis impliquée avec les squatters, elle annonce. L'action commence drôlement à faire parler.

Dois-je applaudir?... Lui faire une petite fête avec des feux de Bengale? Ou, alors, l'aider à creuser le trou dans lequel elle va finir par plonger? On peut bien sûr sabler le champagne à tout propos, mais faut pas perdre de vue qu'il y a des choix qui creusent des ornières si profondes qu'on passe le reste de nos jours à se demander comment avancer.

— Mais ton expo, Maryse... T'es pas vraiment en avance, je lui rappelle.

— Faut savoir établir ses priorités, elle tranche avec le regard braqué sur ma gueule.

Je ne la plains pas.

Au contraire, il m'arrive même de l'envier.

J'aimais sentir ainsi le monde vibrer sous mes pieds.

❏

Le gars est mince comme un fil et il me tourne autour comme une hyène qui n'a rien bouffé depuis des jours. Les dents serrées et l'œil allumé, il en est à l'étape de ne plus dire un seul mot. La fille derrière le bar s'appelle Jo, une nouvelle serveuse débordante de qualités.

Du moins, pour ce que j'en sais.

Elle fait diversion tant qu'elle le peut. Tout y passe. Jimmy par-ci, Jimmy par-là... La musique, quelques blagues, une tournée générale... Si la situation perdure, elle va se retrouver avec son slip sur la tête, et je comprends vite que c'est à moi de jouer. Je cherche un truc qui n'aura pas comme conséquence que je me retrouve avec le crâne défoncé. Le Jimmy, il a la main large et le poing nerveux.

Et puis merde, dire à un gars qu'il est con comme la lune, c'est quand même pas un crime contre l'humanité. S'il avait fallu que je trucide tous ceux qui m'ont affublé du même qualificatif, faudrait repeupler le continent.

La main bienfaitrice de Catherine vient se poser sur mon épaule pour me saluer. Elle en fait autant pour ce Jimmy et salue Jo qui ressemble à une fille qu'on vient de sauver d'un naufrage.

— Tu le connais, lui ? elle lance en me montrant.

J'entends un juron du côté de l'hyène, qui avale d'un trait sa bière et fout le camp. Quant à moi, j'ai droit à un sérieux coup de gueule de la part de Jo, qui tend son tablier bourré de fric à Catherine, qui décide de s'en mêler.

Je fais donc un doublé.

Jo qui me mitraillerait sur place et Catherine qui se mêle de ce qui ne la regarde pas.

Dans sa façon de faire des remontrances, je la trouve un peu maniérée. Je me dis que c'est sûrement le style de fille qui, chez elle, a de petites rondelles de citron fendillées pour coiffer les apéros alors qu'ici ça la fait chier d'ajouter quelques glaçons dans un scotch. Chez elle, elle se fend la gueule de rires exagérés alors qu'ici elle a peine à esquisser l'ombre d'un sourire. Pauvre Julien, je me dis au moment même où il fait, dans mon dos, quelques simagrées pour ne signaler son arrivée.

En moins de deux, on se retrouve à une table du fond. Le genre de table qu'on aimait bien à l'époque où on avait encore des choses à se dire.

Je jette mon paquet de cigarettes au milieu de la table et il y plonge subito avant de fouiller ses poches pour en sortir un briquet.

— Alors ?

Je passe outre à l'épisode de l'hyène qui ronge sans doute sa rage dans un coin perdu et, après une brève hésitation, je plonge.

— Tu n'aurais pas une petite idée qui pourrait m'aider à retrouver Rosa-Lux ?

Bien sûr, j'ai droit à l'esclandre de circonstance. Rien de vraiment verbal, mais tout en gestes. Les mains qui s'ouvrent, le bras qui se tend et les yeux qui regardent du côté du plafond...

Bref, une suite de trucs moches, et silencieux, qui défilent dans l'air pour tomber à plat au beau milieu du bar. Je sens bien toute l'absurdité de cette demande et, d'ailleurs, je serais bien embêté d'expliquer pourquoi je veux revoir cette fille. Sans doute pour la retrouver vieillie et un peu conne, comme chacun de nous. Avec une peau creusée de rides et des idées flétries. Un poids qui viendrait multiplier ce que je garde comme souvenir et sûrement un brin de désespoir mal dissimulé au fond des yeux.

Ça viendrait ternir cette image que Maryse prend un grand soin de me mettre sous les yeux à la moindre occasion.

Ce serait au moins ça.

Et pourquoi il m'aiderait, lui, Julien qui a si parfaitement changé de cap ? Des fois qu'elle serait intacte... Des fois que son regard pourrait encore mitrailler... Des fois qu'il se trouverait sur la première ligne à recevoir la rafale...

Il sait bien que dans ce cas je m'empresserais de venir lui mettre sous le nez cette fille qui a assez de cœur au ventre pour se tenir debout devant un monde qui continue de s'effondrer.

— Tu sais, Dan, moi, cette époque...

Oui, je sais.

Je ne sais que ça.

Je ne vois que lui, ce touriste de la pauvreté qui photographiait tout pour ensuite bien plaquer le résultat dans ses albums sous la rubrique «erreurs de jeunesse».

J'ai très envie de lui expliquer deux ou trois petites choses, mais ça ne dure que quelques secondes avant que je capitule devant l'inutilité qui crève les yeux. Sans compter que c'est impossible à expliquer, ce genre de chose, et que je n'ai pas dix mille ans à consacrer à ça.

— Non mais... tu veux bien me dire c'est quoi l'idée de retrouver cette fille-là? Tu fais exprès pour t'accrocher au vide?

— ... et bien sûr, je réplique, c'est beaucoup plus important d'écrire le faux récit d'un faux émigrant qui vient faussement de débarquer. Ça, c'est du solide!

— Je gagne ma vie.

— Je gagne la mienne aussi, je dis avant de préciser que quand il s'agit de la perdre, j'aime bien choisir la façon de le faire sans l'avoir dans les pattes.

On s'est juré cent fois la mort et mille fois on a brandi le poing...

Maryse a poussé un léger cri en m'apercevant. Je n'ai pas entendu la porte s'ouvrir et me voilà tout étonné de la voir surgir avec une bonne heure d'avance. Mais ça tombe bien parce que l'entretien avec Julien tire sa révérence. Je fais signe à Maryse d'avancer et la présente à mon ami qui cache son étonnement. Je sens qu'elle dissimule, à son tour, une excitation qui finit par déborder.

— Ça brasse pas mal, elle annonce. J'ai l'impression qu'on va enfin avoir des résultats.

Avant de réagir, je pose le regard sur Julien, qui baisse le sien sur sa bière. De son côté, le temps s'assombrit, alors que chez moi le soleil pousse quelques rayons. J'offre un verre à Maryse, qu'elle refuse d'un geste de la main. Le temps presse chez elle. L'urgence pointe derrière chacun de ses gestes et la nécessité d'y répondre dare-dare se fait sentir alors que moi, je me sens fin prêt à me la couler douce devant ce type qui tente d'hypnotiser ce qui lui reste de bière.

Puis, elle s'explique un peu.

Paraît que ça s'organise drôlement au squat. Les autorités viennent tout juste de céder un édifice dans l'est de la ville pour permettre aux squatters de s'installer.

— D'un peu partout, les promesses de solidarité affluent.

— Ça marche encore ces idées ? je lance avec un brin d'ironie.

Moi, je sais, tout comme Julien le savait, que les idées, comme le rêve, ça naît au même rythme que le besoin. C'est après que ça s'embourbe.

Je me lève comme si l'urgence venait de m'atteindre à mon tour et précise à Julien que je vais penser sérieusement à mes impressions sur ma nouvelle terre d'accueil et qu'à la première occasion je lui fais signe.

— On y va ? je lance à une Maryse qui trépigne déjà.

Dans la bagnole, je cause de choses et d'autres et je fais comprendre à Maryse que le temps, c'est un truc qui peut toujours attendre, surtout quand il s'agit d'anarchie. Quelque chose me dit que la révolution peut sûrement patienter quelques heures.

Elle me doit bien ça, la révolution.

En fait, j'ai envie de m'emmêler dans ses draps.

— Tu sais quoi, Maryse ? je lui annonce en tournant le coin d'une rue où on se fait chier devant des piétons qui ne respectent pas les feux de circulation. Tu sais quoi… J'ai envie que tu me mènes en bateau. Juste pour sentir ta vague.

Elle pose sa main sur ma cuisse et me sourit.

❏

À deux pas de moi, il y a un flic qui me respecte et ça me fait tout drôle. On ne va pas jusqu'à faire la causette, mais il ne me regarde pas comme m'ont toujours toisé les flics dans ce genre de situation. Les poils grisâtres qui, un peu plus chaque jour, envahissent ma crinière y sont sans doute pour quelque chose. Ciel ! que ça prend peu de chose pour porter la culotte de l'honnête citoyen. S'il savait, le pauvre. J'ai lancé des pierres, brandi des pancartes pendant que ces jeunes rebelles tétaient encore leur mère. Si seulement le quart de ce que, à l'époque, je manigançais s'était avéré le moindrement efficace, il serait ficelé à un poteau.

Un jeune Iroquois avec la moitié du visage camouflé sous un foulard vient expliquer à Maryse qu'elle peut entrer mais, précise-t-il en me désignant du doigt, « pas lui ».

Je prends la chose avec philosophie.

Au fond, il n'a pas tort, ce jeune enragé. Faut vraiment pas faire confiance à ce qui se met à se fondre dans le décor.

Je mords à belles dents dans un sandwich que j'ai attrapé au passage et je discute avec quelques résidants du coin qui ont l'air ahuris. J'argumente un peu, puis je ferme ma gueule et les laisse vider leur sac, même si ce qui en sort sent mauvais. La jeunesse a bon dos et ça ne se gêne pas pour y casser quelques frustrations qui marinent depuis déjà un bon moment.

Le ciel est trop clair pour en vouloir à toute l'humanité, je me dis en opinant du bonnet devant un type qui en a gros sur le cœur.

Un cordon de flic se forme et j'ai dans l'idée qu'il va y avoir de la casse. Avec leurs casques, leurs matraques et leurs sales gueules, j'ai l'impression que le temps des négociations tire à sa fin. Et ces représentants du bon peuple qui se mettent à applaudir devant les costauds qui en imposent...

Je m'inquiète pour Maryse quand, enfin, je reconnais sa tête qui se fraie un chemin jusqu'à mon épaule. Je l'éloigne des supporters du droit et de l'ordre. Elle fait vraiment peine à voir. Avec son air dépité et la photo de Rosa-Lux au bout du bras, je la sens à ça d'éclater en sanglots.

— Bon sang, Maryse, t'en as vu d'autres !

Elle n'est pas du genre à s'effondrer devant une flicaille qui joue au cow-boy... Elle qui promettait de clouer les épaules de la mondialisation au sol. Qu'arrive-t-il à cette rageuse qui me jurait que bientôt l'impérialisme yankee allait voir de quel bois elle se chauffait ?

Et en plus, ça commence drôlement à gueuler sur ma droite. Les flics s'énervent et ce n'est jamais bon signe, ce genre d'émotion. Dans mon dos, le bon peuple s'agite et ovationne le carnage qui s'annonce. Devant, les Apaches masqués sont bien décidés à ne pas reculer.

Et, en plus, je reçois quelques gouttes de pluie sur les épaules. La catastrophe vient de partout. J'entraîne Maryse vers la voiture où l'on arrive à se mettre à l'abri de tout. Cette fois, ça y est, elle éclate en larmes et je constate qu'il y a vraiment des jours où on n'y échappe pas.

— Personne ne la reconnaît, elle m'annonce en levant la photo de Rosa-Lux.

Je prends Maryse dans mes bras en lui expliquant que cette photo a plus de vingt ans et qu'une fille en maillot de bain dans un groupe d'anarchistes, ben, ce n'est pas nécessairement la clé qui ouvre toutes les portes.

— Je sais, elle me chuchote à l'oreille avant d'y poser ses lèvres. Mais ils auraient pu la reconnaître... C'est impossible que Rosa-Lux soit complètement disparue.

— Oui, je la rassure, c'est impossible.

❑

J'ai mis ce qu'elle a de mieux comme musique. Déjà que dehors le ciel gronde et déverse tout ce qu'il contient d'eau, je me suis efforcé de changer le temps qu'il fait dans sa tête. Et puis les flics, le bon peuple et les squatters… Faut pas trop en demander à Tchaïkovski, qui fait déjà ce qu'il peut même si, à mon sens, c'est bien mince.

Je tente de cuisiner un truc qui remonte le moral mais, à moi non plus, faut pas trop en demander.

J'arrive tout de même à garnir deux assiettes qu'on avale avec entrain. Dehors, la ville tremble mais ici, dans l'atelier bouillant de Maryse, on arrive presque à croire qu'il y a toujours moyen de s'extirper du monde.

— Tu sais quoi, Maryse ? Je pense que, dans les circonstances, je m'en suis tiré d'excellente façon. Tu sais, avec du poulet, c'est jamais gagné d'avance.

Tchaïkovski tire à sa fin. Je tends mon doigt, presse sur «*Repeat*» et on est tranquilles pour un bon bout de temps.

— Ça va mieux ? je demande en ravalant un rot.

Son sourire me rassure et je viens m'installer dans le fauteuil à ses côtés.

— On tourne en rond, déclare-t-elle. On ne retrouvera jamais Rosa-Lux de cette façon-là.

Je hausse les épaules et les laisse retomber.

Je veux revoir Rosa-Lux. Ne serait-ce qu'une toute petite fois, histoire de jeter un bref regard sur ce passé dont je semble le seul à me souvenir. Lui dire bonjour, sans doute. La prendre dans mes bras, possiblement, ou rester figé sur place, le clapet soudé et l'âme aux abois.

Et Maryse dans tout ça…

J'envie sa détermination et son acharnement. Moi, je m'occupe du désir et elle, de la ténacité.

Drôle d'équipe dans laquelle on ne sait plus trop qui profite de qui.

— Je suis sérieuse, moi, Dan.

C'est bien là le drame. Cette nuit, pour trouver le sommeil, je devrai réussir le tour de force de me convaincre que tout ce cirque n'est qu'une blague. Une toute petite plaisanterie qui finira par me faire rire un bon coup. Puis, le moment venu, j'arriverai à trouver les mots pour la raconter à Julien et on se tapera sur les cuisses.

Maryse semble aussi dépitée qu'une oie qu'on gave. De la main, je l'invite à venir s'étendre à mes côtés. Je me colle à son flanc et enfouis mon nez dans ses cheveux. J'adore ce genre de soirée, quand le soleil s'est couché tôt et qu'une fille vient doucement le remplacer.

Elle se tourne et je me moule à son corps.

— Dis-moi, Dan, cette manifestation que vous avez faite pour la grève des meuniers, il y a longtemps, pourquoi Rosa-Lux est partie quand ça commençait à se corser avec les flics ?

Comment lui expliquer que ça chauffait un peu trop ? que les flics ne mettaient pas de gants blancs et que, depuis une semaine, les travailleurs n'arrêtaient pas de nous répéter qu'ils nous trouvaient un peu trop fanatiques de la pagaille inutile ?

Et puis, il y avait peut-être un autre foyer à nourrir.

Et puis, il y avait peut-être un type avec les cheveux un peu plus blonds que les miens et des yeux plus enveloppants.

On couchait avec le diable, on ne pouvait pas toujours être des saints.

Et puis, merde, il y a si longtemps.

— Tu sais, à l'époque, il y avait plein de luttes à planifier. On se voyait à deux doigts de l'insurrection. La révolte frappait aux portes, mais il fallait les forcer un peu. C'était ça le rôle de Rosa-Lux, forcer les portes, aider les consciences à s'épanouir. Défoncer le vieux monde... En créer un de toutes pièces...

Bref, je finis par lancer :

— Tu as vraiment envie de reparler de ça ?

— Pourquoi pas ?

En effet, pourquoi pas ?

Mais moi, je me demande pourquoi, pour une fois, une fois pour toutes, on ne laisserait pas tout ça se putréfier. Pourquoi on ne se roulerait pas un petit moment dans la gratuité d'un geste, même le plus insignifiant des gestes ? Pourquoi faudrait-il toujours s'empaler sur la misère des autres et s'en enorgueillir ?

— Hein, pourquoi pas ? elle répète.

Il semble qu'il y a des histoires qui gagnent à être revues et corrigées. Suffit de savoir s'y prendre. Arrondir les angles par endroits ou alors les accentuer selon l'humeur du moment. Distribuer des rôles du tonnerre et n'avoir que des héros à planter dans la tête des gens. Bon sang qu'elle est idiote l'histoire quand on la regarde de si près avec ses guerriers de passage et ses fleurons farcis de mensonges.

Bref, je reprends l'épopée, la même que j'ai si vaillamment narrée il y a quelques jours. Je décore mon récit de quelques citations qui me remontent à la mémoire. Des citations dont je n'arrive plus à me rappeler l'auteur. Une chose est certaine, ce n'est pas Staline. Même à l'époque, il n'y avait rien de plus débandant que ce sale type. On pouvait plaider l'innocence pour certains, mais celui-là, on était quelques-uns à savoir qu'il n'avait écrit qu'avec le sang des autres.

Je repasse l'histoire en l'épiçant un peu plus et je sens que Maryse se détend et que le soleil ne reviendra pas de sitôt.

❏

Maryse était absente de chez elle et je n'avais aucune envie de tremper mes pinceaux. Dommage, car j'avais la conviction que j'aurais peint un chef-d'œuvre. Tant pis pour l'histoire, je me dis en appliquant un diachylon sur une petite coupure que je me suis faite au doigt.

C'est Jo qui me sert à boire. Elle ne le dit pas, mais je reste convaincu qu'en me regardant elle s'est passé quelques réflexions vengeresses. Elle n'a pas entièrement tort. On ne peut pas faire chier tout le monde sans qu'un de ces jours il n'y en ait un qui lève les poings.

Je jette des regards tout autour de moi. Le bar est désert. Il n'y a que la musique, moi et cette Jo qui s'arrange pour m'ignorer. J'ai presque envie de l'en remercier. Elle vit vautrée dans ses petites choses et j'en fais autant. L'important, c'est qu'on reconnaisse, elle et moi, qu'il y a une planète qui nous sépare. Qu'on s'accorde au moins sur ce point.

Le reste devrait aller de soi.

En plus, elle n'est même pas foutue de mettre une musique qui se tienne. Faut dire que depuis quelque temps je n'aime plus rien de ce côté-là. Même le rock and roll ne peut plus rien pour moi.

Je plonge le nez dans un journal qui traîne pour me changer les idées. J'entame à peine un article où il est question de ces jeunes squatters en train de vivre un trip du tonnerre quand la porte s'ouvre pour laisser passer Julien qui embrasse Catherine.

Un long et beau baiser où l'on devine aisément les langues qui s'agitent.

Mon ami s'arrête net devant ma table. Il a déjà quelques verres d'avance sur moi. Je vois ça à la petite lueur qui allume son œil et à son verbe qui s'entrecoupe de petits sourires nerveux. Catherine replace vivement ses cheveux et s'envole derrière son bar. Je regarde Julien, qui semble hésiter. Il traîne encore un peu avant de se lancer.

— T'as pensé à mon truc ?

— ... l'immigrant qui découvre le Québec ?

— Sois pas moche. Je veux juste que tu me dises ce qui t'a frappé, étonné, quand tu es revenu. Pas compliqué, ça.

— D'accord, je dis. Tu sais, Julien, tu te souviens sûrement qu'à une époque il y avait ici plus de maoïstes purs et durs que dans toute la Chine. Mis à part, bien sûr, les dirigeants, leurs sbires et tous ceux qui crevaient de peur, je précise. Non, laisse-moi finir, je le prie devant l'exaspération qui pointe. Je parle de ces grands défenseurs du prolétariat international... Ceux qui gueulaient pour tout et rien... Ça te rappelle sûrement quelque chose, ça, Julien.

Il se laisse distraire, mais je sais qu'il ne manque pas un seul mot de ce que je bafouille.

— ... on s'est leurrés, Julien. Sérieusement. On était des as pour définir les problèmes, sauf que notre remède était démesuré. À quoi on s'amusait, Julien ? Hein, tu peux me le dire, toi ? À quoi on jouait, au juste ?

— C'est pas une question que j'attend mais une réponse, il baragouine sans même me regarder. Je veux tout simplement connaître ce qui t'a étonné à ton retour.

— Vous, je lui lance sans ambages. Vous et votre silence... Votre façon de ne rien dire tout en vous donnant l'illusion que vous criez.

— Où tu veux en venir exactement ? il questionne.

— Je veux dire que le monde chavire. Qu'un peu partout la misère augmente et que la guerre est chaque jour à nos portes.

— Où tu veux en venir ?

— Là où tu m'amènes, Julien.

Je goûte lentement ce scotch qui m'éveille. Je le regarde dans les yeux et je sens toute la gêne et la rage qui s'installent. Puis, je reprends.

— Tu me demandes une impression ? En voilà une, mon vieux. Ici, quand on prend de l'âge et du poids, quand on se sent essoufflé rien qu'à regarder les informations à la télé, on n'a qu'à revendiquer un pays pour se sentir le cœur à gauche. On vote, et le reste du temps on s'organise pour ne pas trop voir comment, d'un vote à l'autre, la situation se dégrade.

— Tu exagères, Dan.

— Oui, bien sûr, j'exagère. Il y a longtemps, tu exagérais aussi. Pour l'instant, je tente tout bonnement de mettre mes excès sur un pied d'égalité avec les tiens. Tu veux mes impressions ? Alors, voilà. Tu écriras ça dans ton article. Un nouvel arrivant trouve qu'au Québec la gauche est une illusion limitée par les frontières d'un pays qui n'existe pas.

Je me sens glisser sur une pente d'où j'ai peur de ne pouvoir me relever. Une glace très fine... Luisante comme un miroir et qui se fend au moindre choc.

La plus redoutable.

Mais bon, tant qu'à y être.

— Tu veux un titre pour ton article ? *Couillons !* Ça te va ça comme titre, *Couillons* ?

Je suis moche en lui lançant ça sans avertissement. Moche et désespéré, mais j'ai encore plus horreur de ne pas être vivant.

Pour faire oublier ma rudesse, j'offre une tournée en espérant avoir le fric nécessaire pour l'honorer. Ce n'est pas Jo qui va me faire crédit.

— Je ne comprends pas pourquoi tu n'écris pas sur des trucs comme ceux-là, je lance en plaçant mon index sur le journal ouvert.

— Non mais ça va pas ? me coupe Julien.

Et pourquoi ça n'irait pas ? Je ne fais que rapporter qu'une bande de jeunes loups reprennent le rêve là où on l'a laissé. Mais ça, il le sait parfaitement, et je ne vais sûrement pas me perdre dans les considérations qui sapent sa propre histoire tout en écorchant la mienne. Pour ma part, je refuse de crever aussi simplement. Ça prend un peu plus de tact. Qu'il me chasse un peu. Qu'il me traque dans mes repaires. Au lieu de ça, il me tue.

Bêtement.

Froidement.

— Ça fait des années que tu ne milites plus.

Je lui casserais bien sa petite gueule d'arriviste, mais je me sens complètement crevé.

L'heure du renouvellement du scotch a sonné. Il sera double, avec un iceberg qui flottera dedans, histoire de bien rafraîchir les quelques idées qui me viennent à l'esprit. Je cligne des yeux en regardant un spot qui m'éclaire au moment où Catherine se pointe avec un café qu'elle tend à Julien, que je laisse avec le poids de ses mots. Je laisse tout ça s'étirer dans le temps et je ponctue le silence de quelques bouffées de cigarette qui planent au-dessus de la table et bleuissent le temps qu'il y fait.

— Bon, O.K., il fait. Tu vas quand même pas me faire la gueule rien que pour ça ?

— Il y a quelqu'un qui fait la gueule ici ? je demande en regardant par-dessus mon épaule.

Je ne sais pas où il va chercher une histoire pareille. Il a commencé un truc et j'attends la suite. J'attends de voir s'il possède encore ce grandiloquent courage qu'il avait à l'époque quand il s'agissait de disposer des restes une fois le travail terminé.

— Tu n'es quand même pas revenu au pays pour reprendre les choses où elles étaient il y a vingt ans.

Je suis revenu parce que là-bas la vie risquait de ressembler à un agenda bourré d'une couverture à l'autre et que moi, le temps, j'aime bien le couler comme ça me plaît. Sans rendre de comptes à chaque heure qui sonne. Et puis, merde, va te faire foutre, Julien. Enfourche ton tandem et

amène ta serveuse pour une balade sur tes chemins où
même les cailloux sont balisés.

— Écoute, Dan, c'était pas sérieux l'autre jour quand tu
demandais comment retrouver Rosa-Lux ? Si ça se trouve,
mon vieux, elle pèse trois tonnes et vit avec une demi-
douzaine d'enfants qui ont pour principale vertu d'aug-
menter ses allocations. Décroche, Dan... C'est fini ce
temps-là.

— C'est pas ce que tu penses, je me contente de dire.

Le fait est que c'est Maryse qui tient les rênes. Elle
guide la baraque et moi, je la suis et profite de ce brin de
folie qui met un peu de lumière dans tout ça.

Je me sens tout à coup heureux de voir entrer quelques
silhouettes qui viennent mettre un peu de vie dans ce
putain de décor où je ne rencontre que des sourds-muets
qui n'entendent que la triste musique qu'ils se sont plantée
dans le crâne. Ça me plaît de voir ces clients obéir à leurs
instincts d'assoiffés en manque. Comme des bêtes qu'on
mène à l'auge. Mine de rien, ça crée des liens. Même
Jimmy, l'hyène affamée, comme j'aimerais qu'il se pointe le
museau. Comme j'aimerais lui montrer de quel bois se
chauffe le vieux Dan quand il est d'humeur à soulever la
planète.

— Écoute, Julien, je dis pour faire une brèche dans le
silence qui commence à sentir le roussi. Écoute ça : moi, je
vais retrouver Rosa-Lux. Je vais lui mettre la main au col-
let et te l'amener ici, devant toi. Et là, rien qu'à ce moment-
là, on verra bien lequel des deux rougira le premier.

Il y a des surprises qui vous bottent le cul plus que d'autres, mais il y en a qui vous scient.

Le neuvième étage péniblement atteint, me voilà devant une feuille de papier scotchée sur ma porte. La tête de Rosa-Lux, avec ses verres fumés et ce sourire qui m'a donné naissance pour ensuite me tuer... Ces lèvres-là, elles ont refait le monde, et je m'y vautrais comme un porc dans sa boue.

Sur la photocopie, il y a aussi d'écrit « Recherchée » avec, en plus petit, le numéro de téléphone de Maryse. Plus bas, je reconnais son écriture, plus nerveuse qu'à l'habitude.

Avec ça, Dan, on va la retrouver !

Décidément, le monde m'échappe un peu plus à chaque minute.

J'arrache la feuille et ouvre la porte pour me traîner jusqu'à mon sac de couchage, sans le moindre coup d'œil aux tableaux qui n'attendent que ça.

J'allume une cigarette et la pose sur le cendrier en me disant qu'il y aura au moins une odeur pour m'embaumer.

Puis, tous les scotchs de la terre me tombent dessus.

❏

Contrairement aux hurlements stridents des sirènes de pompier qui font exprès pour me réveiller, j'ai droit, dès le petit matin, à un bonjour excessif de Maryse se tenant debout devant moi. Elle tire le rideau improvisé que j'ai si ardemment fabriqué et, par réflexe et un brin de mauvaise humeur, je me tourne du côté du mur afin de prendre le temps de réaliser que tout ça est vrai. J'aurais beau dormir et rêvasser jusqu'à la nuit des temps, la réalité va toujours garder une longueur d'avance.

— Tu en as combien comme ça ? je lui demande en parlant de la pile de photocopies qu'elle tient.

— Assez pour l'amener à nous, elle dit d'une voix entrecoupée de rires.

Tout ça commence à déborder les limites du bon sens. J'ai envie de lui arracher la promesse qu'elle ne fera pas imprimer de t-shirt à l'effigie d'un amour de jeunesse.

Il y a déjà le Che pour ça.

Elle est belle, Maryse, quand elle resplendit de tous ses feux. Et ce que j'apprécie, c'est qu'elle a eu le génie de m'apporter une tasse de son fameux café arabica que j'aime tant. Juste l'odeur, ça me fait penser aux nuits qu'on se paye à l'occasion et où l'on reprend vie au-dessus d'une tasse bien fumante.

— Et on fait quoi de tout ça ?

Pardi ! Quelle question ! Bien sûr, on va en tapisser la ville. On va en mettre sur les poteaux, dans les bars, sur les murs, dans les chiottes des restaurants…

Et j'en oublie.

Elle a tout planifié, calculé à la minute près… J'ouvre les yeux, comme ça un matin d'été, devant une révolutionnaire qui sait où elle va… Une fille toute pleine de sève qui pave le sol avant d'y mettre le pied et que la surprise ne prendra jamais au dépourvu.

— On pourrait peut-être en envoyer aux États-Unis, au cas où elle aurait eu l'idée de se chercher un travail dans ce coin-là ?

Je regrette aussitôt cette baliverne qui vient de m'échapper. On ne sait jamais trop où ça peut nous mener avec Maryse.

Je tends le bras vers la tasse, la saisis et fais signe à Maryse de prendre place à mes côtés. L'exiguïté de ma couche lui joue un peu sur les nerfs, mais il me passe par l'esprit de lui prouver sur-le-champ qu'on peut faire des miracles dans un vieux sac de couchage. J'ai à peine le temps d'effleurer son sein qu'elle bondit sur ses jambes et me lance qu'elle doit se rendre à une réunion de soutien aux squatters.

— Là, maintenant ?

— Il y a de la place, tu sais. Tu peux te joindre à nous.

J'étire la jambe, mon mollet ne me fait pas mal, mais je feins que oui.

heatherb@msn.com

Bonjour, ma Louve,

Moi, je vais bien et, souvent, je pense à toi. D'ailleurs, je ne sais toujours pas s'il y a un locataire dans ton ventre. Si oui, je l'envie presque d'être en toi à ce point.

Bien que... être si bien et finir sa course dans un tel désordre...

Tu avais raison, Heather, ce monde n'est qu'une accumulation de merdes et de pourritures, mais, contrairement à toi qui envoies valser tout ça avec tes fameux cookies, on dirait que j'ai besoin de plus pour que ça s'évanouisse. Et, en outre, j'ai bien peur de ne plus avoir l'élégance de croire en la transformation des choses.

Je ne sais pas exactement ce que je cherche, mais c'est vraiment impossible de ne pas voir que je cherche. Je suis arrivé ici avec l'âme plus ou moins en paix et à peu près certain de pouvoir recommencer.

C'est idiot de penser ça, mais ça me traînait sans doute dans l'esprit.

Et puis voilà, je me retrouve avec dans le dos un passé qui me talonne. Un passé que tu ne connais pas vraiment et que j'avais presque oublié. Avec toi, au début, il m'arrivait de rire de ces années où je me retroussais les manches pour bien tordre le cou aux politiques oppressives. De toutes ces heures passées, penché au-dessus de textes plus chinois qu'autre chose...

À analyser, soupeser et calculer nos chances de réussite.

Tu vois, Heather, avec toi, j'en riais, alors qu'ici je n'arrive même pas à en sourire.

J'aimerais bien que tu m'envoies un mot. Tout petit mot si tu veux. Ne serait-ce que pour m'assurer que tu reçois bien ce que je t'écris. Tu le sais, avec la technologie, je ne suis sûr de rien.

Je dois t'avouer que j'ai abandonné la quotidienneté des pamplemousses. C'est vrai que ça efface les excès de la veille, mais ça ne remonte pas plus loin que ça et puis, ça devient acide à la longue. Par contre, je ne bois presque plus de vin. Je me contente d'y tremper les lèvres de temps en temps.

Bref, j'en bois socialement, comme tu disais qu'il fallait faire.
J'attends de tes nouvelles.

Dan

P.S. Please, speak French, it agrees with you so perfectly and eighty percent of the men here don't understand a word of it. Somehow it's reassuring to me.

Les années ont traversé Paul Landry, dit le Faucon, avec plus de conviction que Julien et moi-même. Il n'arrive pas à la cheville du costaud audacieux que je viens de décrire à Maryse. Ce gars-là pouvait tenir tête à une bande de réactionnaires sans jamais plier l'échine. Dans sa gueule, il y avait tous les livres du monde. Ça chauffait drôlement quand il s'y mettait. J'en ai vu plus d'un s'écraser quand, d'une simple phrase, il fauchait l'histoire. Foutrement aguerri! On se réjouissait qu'il niche à nos côtés, parce qu'en face c'était une autre paire de manches.

Il me serre la main, jure qu'il me reconnaît et se sent même obligé de raconter quelques faits d'armes qui ne collent absolument pas aux souvenirs que je garde de cette époque.

Maryse est là, à mes côtés, et son plaisir m'empêche de remettre les pendules à l'heure. Elle opine du bonnet et je vois bien dans ses yeux les petites flammes qui pétillent. Cette fille-là carbure si bien que je me sens malvenu d'aller tout foutre en l'air avec cette damnée vérité que je décide de ravaler.

Mais il a beau raconter ce qu'il veut, n'empêche que moi, je sais que je n'ai jamais foutu le feu dans une auto de flic.

Ce matin, alors que le chat de Maryse s'amusait à tirer sur les lacets de mes bottes, j'ai eu cette fameuse idée d'aller prendre le petit déjeuner en plein air. D'autant plus que je me réjouissais de voir ma jambe dans une telle forme. Comme hier, avec Maryse, j'ai parcouru dix mille kilomètres à travers la ville pour placarder judicieusement, selon elle, les tracts avec la tête de Rosa-Lux, je me sentais fin prêt pour affronter le monde.

— Un pique-nique! elle a fait.

Son dernier pique-nique remontait à quatre bonnes années, alors que le mien devait bien dater du Moyen Âge. Les possibilités étant minces au cœur de la ville, on s'est vite entendus pour le parc LaFontaine. Sur l'insistance de Maryse, on s'y est rendus à pied. Je dois avouer qu'une faible brise balayait les chaleurs de la ville et que Maryse portait cette jupe qui me fait tourner la tête.

Bref, je n'avais pas vraiment de quoi me plaindre.

Sur un banc qui faisait face au sud, Maryse mordait dans son croissant et tendait son visage vers le peu de soleil qui pouvait nous appartenir à cette heure-là. Pour ma part, je regardais les arbres et un serpent d'enfants accrochés à leur corde et suivant deux jeunes filles qui en prenaient grand soin. Le faux étang, les cyclistes et puis l'inévitable érable qui me plongeait dans l'ombre. Bien sûr, tout ça faisait tinter une petite cloche dans ma boîte à souvenirs. Toutes les manifs de l'époque prenaient leur envolée dans ce parc. C'est d'ici que le pouvoir devait commencer à trembler et sentir ses bases se fendiller. D'ici même que les tyrans de la planète devaient chier dans leur pantalon et que l'impérialisme, tant soviétique que yankee, commençait à comprendre que sa gloire tirait à sa fin.

C'est du moins ce qu'en chœur nous scandions.

Je me suis souvenu qu'il y a quelques années, Julien m'a parlé d'un copain qui avait publié un livre sur la mondialisation. Ça ne m'a pas étonné de lui, il avait déjà, à l'époque, une plume agile et ravageuse. On avait parlé de son livre un peu partout. Un truc très fouillé, selon les critiques du temps. Avec tout plein de dates, de guerres, d'enfants qu'on exploite et de capitaux qui prennent le large.

J'en ai innocemment glissé un mot à Maryse, ce qui a eu pour effet que deux écureuils se sont disputé le reste du croissant qu'elle a laissé tomber.

— Et on attend quoi pour le rencontrer ? elle a demandé.

En effet, j'aurais dû y penser mais, comme elle jurait sans cesse que ces fameuses affiches allaient nous mener tout droit à Rosa-Lux, je ne voyais pas l'urgence de rencontrer ce bon vieux Faucon. Depuis l'aventure des affiches que nous avons distribuées sur les murs d'une bonne partie de la ville, j'hésite à aborder ce genre de questions. Et puis, il semble qu'à chacune de mes phrases l'intrigue s'épaississe. Je veux bien sûr revoir Rosa-Lux, la laisser rallumer mes feux et tout embraser. L'os dans tout ça, c'est que je commence à avoir du mal à comprendre l'acharnement de Maryse.

Le temps de le dire, on s'est retrouvés chez un libraire qui devait nous mener à l'éditeur. Je la regardais opérer en me disant que cette Maryse-là était bourrée de talents. En moins de deux, on a quitté notre libraire avec en poche l'adresse de l'éditeur qui, à son tour, nous mènerait à l'auteur.

Sitôt que nous avons été hors de la librairie, Maryse s'est mise à feuilleter un livre tout droit sorti de son sac : *Le monde à la pièce*, de Paul Landry.

— C'est quoi ça ? j'ai presque crié.

— Ben, je vais quand même pas crever idiote parce que je suis pauvre, elle m'a lancé avec un haussement d'épaule.

Bref, nous voici chez Landry, le Faucon, avec en main un exemplaire volé de son œuvre qu'il doit nous dédicacer.

J'attrape la bière qu'il me tend en l'écoutant m'expliquer l'erreur que nous faisions, à l'époque, de ne pas nous intéresser davantage aux rapports Nord-Sud. Sa pensée traverse les continents, effectue quelques acrobaties et je sais déjà qu'il va nous exécuter ça comme un pro. Ce gars-là, il a toujours su retomber sur ses pieds.

Mais bon sang, s'il savait à quel point je serais heureux si nous n'avions commis que cette erreur-là.

Alors que moi, je m'accroche à l'idée que nous n'étions que des enfants livrés à une immense colère que nous corsetions dans la pensée des autres, que nous enchâssions dans une histoire dont nous ne connaissions qu'une face...

Alors qu'il m'arrive encore d'en désespérer, lui, Paul Landry, met de l'eau dans ses rêves et flotte toujours sur un étang qu'il prend pour la mer quand il le désire.

J'ai presque envie de l'ovationner pour son beau travail. De le couvrir de fleurs et de confettis tellement mon âme sue devant un espoir si sage et ordonné. De prendre exemple sur lui. Voilà ce que je n'ai jamais su pratiquer. La dissection du monde qu'on examine ensuite avec l'œil froid du spécialiste chevronné.

Je sens soudain, télégraphié par la main de Maryse sur mon avant-bras, le message que le temps presse. Qu'il faut enfin se décider, forcer le jeu et abattre les cartes.

— Dis donc, Paul, je demande en me raclant la gorge, tu ne saurais pas où se trouve cette fille qu'on appelait Rosa-Lux?

— (Il cherche un peu.) Tu parles de Julie? Julie... Je crois que je n'ai jamais connu son nom. Elle habite Québec. En tout cas, je pense... C'est vague, tu sais. Mais il me semble avoir entendu qu'elle habitait Québec.

Bien sûr, ça ne pouvait pas être la rue voisine de la mienne. Trop simple, ça, comme scénario. Vaut mieux une autre ville avec des milliers de rues à sillonner, de portes où frapper et d'échecs à essuyer.

Quand on se lève pour prendre congé, j'assure à Paul Landry qu'on va sûrement se revoir puisque, de toute façon, je meurs d'envie de retrouver les vieux copains.

Dehors, Maryse se tait et moi, j'ai dans les mains le bouquin de Landry avec, dedans, une dédicace qui ne rime à rien malgré un effort vaguement poétique.

❏

Maryse ne s'amuse pas.

Même si le bar est plein à craquer, rien n'y fait. Faut dire que, selon la mode du moment, la musique ouvre toute grande la voie aux dépressions. Toujours ce rythme qui me tambourine sur les nerfs. Ça grimace dans tous les coins et je prends ça pour des sourires qu'on lance dans les limbes. Sans compter que depuis que les gars se parfument, ils ne laissent aucun répit à nos nez tellement ils sont démesurés jusque dans la façon d'empester leur fragrance.

Bref, tous mes sens sont aux abois, sauf qu'ici, à ma table, un muet se sentirait en pays de connaissance.

Je suis sur le point de sombrer quand une fille vient me demander si elle peut prendre la chaise libre à mes côtés. Elle le fait avec gentillesse. C'est bien peu mais, des fois, on s'accroche à ce qu'on peut.

— Pourquoi tu ne m'as jamais parlé de l'occupation de l'usine quand tu as incendié une voiture de police ? se dégèle enfin Maryse.

— Parce que je n'aime pas parler de ce genre de choses et que je ne suis pas un héros, je bafouille en me levant pour me rendre négocier une petite place devant l'urinoir.

Quand je reviens, il y a deux gars qui m'ont déjà remplacé, mais Maryse ne les voit pas et ne répond qu'à peine aux invitations qui fusent.

Elle me lance son regard de cendre et me demande si on y va.

Même pas besoin de réponde. Juste poser mes yeux dans les siens, les y laisser un brin, et tout est joué.

Elle se lève, me prend par la main et on se dirige vers la sortie comme s'il n'y avait que nous dans la place.

Dehors, je la prends dans mes bras. Je sens bien que quelque chose ne va pas, mais je sens aussi que je ne saurai pas de quoi il s'agit. Je connais ce genre de silence. À côté de ça, briser un bloc de ciment, c'est un jeu d'enfant.

Je lui dis que l'affiche de Rosa-Lux est encore dans les toilettes des hommes, mais je passe sous silence qu'un artiste de passage a cru bon d'y ajouter des moustaches.

La journée a pris un drôle de départ. Maryse se dé-gueule tout l'intérieur et moi, j'entends tout de ce drame. Les mains dans les poches, le regard fou à suppor-ter le poids de mon incapacité.

Sur la bouteille de Listerine, il est clairement inscrit qu'il est dangereux d'avaler ce produit. Et, pourtant, je vois Maryse penchée au-dessus de l'évier à s'expurger les tripes à grands coups d'efforts décuplés qui résonnent sur le *stainless* de l'évier et m'arrivent comme les rugissements d'une bête qu'on achève.

Elle a beau me jurer qu'elle fait ça souvent, qu'elle en avale juste un peu quand elle se sent poisseuse en dedans, je reste sur ma position.

— Faut pas avaler ce genre de truc.

En plus, j'ai trouvé la nuit plutôt longue à traîner ma conscience de plomb. Maryse dormait comme un ourson alors que moi, je cherchais la nature exacte des plats dans lesquels j'enfonçais les pieds. Ne pas s'aimer, c'est une chose, mais ne pas s'aimer pour que d'autres nous aiment, posent un regard sur nous et tendent l'oreille, c'en est une autre. Inventer des conneries, tisser la toile dans laquelle inéluctablement on va s'échouer, c'est précisément le genre de scénario dont, depuis toujours, je me sens inca-pable.

On ne peut jurer de rien. L'absurdité, c'est bien de prendre conscience de ça à mon âge. J'ai presque l'âge de faire sautiller mes petits-enfants sur mes genoux et je réalise que, dès la première pelletée de terre, le trou ne peut qu'aller vers le bas.

Dans mon récit de la veille, c'est tout juste si je n'ai pas étripé une demi-douzaine de flics. Un vrai miracle si je ne les ai pas étêtés et si je n'ai pas baladé mes trophées au bout d'un pieu. J'ai inventé n'importe quoi, tant et si bien que je me suis retrouvé devant cette foutue bagnole de flic dont Maryse parle sans cesse depuis que Landry lui a mis ça dans la tête.

À côté de ça, la Révolution française était un jeu d'enfant.

Bref, je m'y serais rendu, j'y aurais craqué quelques allumettes et la voiture serait partie en fumée.

Voilà une bonne chose de réglée.

Je me retrouve bien sûr avec l'âme un peu plus entachée, mais comme il y en a assez lourd de ce côté...

La tête sur mon épaule, Maryse écoutait en prenant soin de briser ponctuellement son silence de « Et Rosa-Lux ? Rosa-Lux ? »

— Laisse-moi finir, je disais. J'y arrive.

Dans un élan d'imagination envoûtant, j'ai installé ma magnifique rebelle sur le toit de l'usine, porte-voix en main et dirigeant les opérations avec à ses côtés le drapeau qui claquait au vent. Tout ce que nous souhaitions, quoi. Défendant ce peuple que nous prétendions aimer alors que nous n'en pouvions plus de le voir parqué devant sa télé à bouffer de la merde à grands coups de pub... À rouler dans des bagnoles qu'il ne pouvait pas se payer... Cette victime qui se transformait aisément en bourreau devant une peau le moindrement basanée ou à l'accent suspect...

Tôt ou tard, j'ai beau me répéter, je vais mettre Maryse au parfum de mes défaites.

Mais je me tais toujours devant cette rage qu'au fond j'envie.

C'est sûrement du burlesque de mon histoire que Maryse se vide ce matin. Elle qui demande et redemande à être remplie, gavée, et moi qui lui apporte tout ce qu'il faut de chimères et de propagande qui ne me fournissent plus le moindre frisson.

Finalement, au matin, je me retrouve avec une gueule insupportable et les mains vides.

Ce qui jette un baume sur tout ça, c'est bien cette enveloppe que je suis allé cueillir chez moi et qui contenait un chèque de Julio. Une somme assez ronde pour que je voie venir le temps. Ce type se débrouille mieux depuis que je n'habite plus Toronto. Il vend, cultive les contacts, me passe ses commandes et moi, je marche sur le peu qu'il me reste d'honneur. « Pas trop grandes, les œuvres... Évite les couleurs trop sombres... Fais pas chier pour des détails. » Comme je ne possède plus l'art des chaleureuses poignées de mains et des sourires adipeux, je dis :

— Oui, Julio. Comme tu veux, Julio.

Et je bouffe. Et je bois. Et je baise.

Et la vie n'est pas si mal.

Quand finalement Maryse reprend un semblant de vie, je lui glisse un mot à propos du souper que Julien organise le soir même. En fait, je plonge en eau trouble, parce que je la crains. Je la crains plus que je ne me crains moi-même. Comme si sa détente était plus sensible que la mienne.

D'autant plus qu'elle est d'humeur à se foutre des balles perdues.

Bref, je la sens à cran.

Boule de nerfs et moral à plat.

Elle me lance une moue qui, ma foi, me rassure. Une moue qui a l'air de dire : j'ai envie de raser le monde mais pas ce matin. Trop fatiguée pour ça.

C'est sans doute la raison pour laquelle je n'insiste pas.

Je lui sers un verre de Club Soda en lui jurant que ce liquide-là a la capacité de replacer un estomac en moins de deux. Sur ça non plus je n'insiste pas et j'avale le contenu du verre, qui a un certain boulot à faire du côté de mes propres boyaux.

Toujours livide et la voix entrecoupée de rots ponctuels, elle me parle de Québec.

— Quoi, Québec ? je demande.

Bien sûr, Landry a parlé de Québec. Rosa-Lux y était peut-être. Ou peut-être pas... Des ragots... Des trucs entendus entre deux conversations... Des informations glanées sur un coin de rue... Ou peut-être, plus simplement, une façon, pour Landry, de meubler le temps. D'avoir, encore, une bonne raison de se rendre sinon indispensable, du moins utile.

Je me gratte le crâne un bon moment pour trouver les mots qui devraient correspondre aux circonstances et exprimer sans ambages que je n'ai pas envie de me rendre là-bas. Qu'en fait il n'en est pas question. Sans compter que je ne vois pas pourquoi on devrait se faire chier à sillonner les rues d'une ville que je connais à peine au cas où cette lubie qui me travaille s'y trouverait.

Elle est peut-être en Arizona aussi, cette fille...

— Au Cambodge... À Hong Kong, Berlin, Paris, Rome, New York...

Au fond, c'est au Brésil que je l'imagine le mieux, dans un hamac tout neuf avec son regard de feu et son sourire de madone.

Bien sûr, ça se trouve, une aiguille dans un tas de foin, comme elle me le martèle. Ça se chavire, une planète. Tout est possible quand on a le vent en poupe et l'esprit fêlé. Quand on n'a qu'à rêvasser d'un monde ragaillardi, on traverse les obstacles les doigts dans le nez.

— Mais, je la coupe, elle habite peut-être en dessous de chez toi...

Cette hypothèse est sans doute trop simple. C'était bien moi, ça ! Le roi du raccourci ! L'as du laisser-aller ! Si rien ne bouge, c'est, au fond, à cause de mon inactivité. De ce foutu pessimisme qui m'enveloppe. C'est à moi de m'activer les couilles, de sortir de la torpeur et d'y mettre un peu du mien. « Quand on le veut vraiment, ça se trouve », tout le monde sait ça.

— Et puis, merde, changer le monde, elle précise avant de courir se percher au-dessus de l'évier, ça ne se fait pas sans effort.

Changer le monde ?

Mais qui parle de changer le monde ?

Moi ?

Moi qui ai l'âme encore cloquée d'une rage qui ne mène qu'en enfer ?

Depuis des lustres, je ne m'alanguis plus sur ce genre d'optimisme où l'on se creuse des rides inutiles à force de contourner la déception.

— Alors hein, changer le monde... je lui lance en envoyant planer ma cigarette par la fenêtre ouverte.

Et puis, je ne sais même pas si je veux revoir Rosa-Lux pour faire virevolter quelques ballons au-dessus de nos batailles anciennes ou si c'est tout simplement en souvenir de mes bandaisons de jeune gars qui découvrait la vie dans la révolte et la fornication.

Elle s'amène vers moi, nue et plus pâle qu'une lune, mais l'estomac lavé et l'œil noir. Je la regarde se reculotter sous mes yeux en prenant soin de faire claquer l'élastique de son slip sur sa taille et je me dis qu'on est sur une drôle de pente, de celles qui mènent tout droit à l'abîme.

Je tourne le regard du côté de la fenêtre pour me concentrer sur un Boeing qui égratigne le ciel.

❏

J'ai fait mon possible pour ne pas arriver en retard chez Julien. J'étais prêt à tout pour éviter les inepties habituelles dont se font lapider tous ceux qui pratiquent une activité qui déborde un tant soit peu l'entendement.

« Tiens ! V'là l'artiste ! »

« N'importe quoi pour se faire remarquer... »

« Devait être en train de rêvasser quelque part... »

Et j'en passe des plus sucrées.

Des trucs à se chier l'âme.

De fait, je me suis laissé agripper par un tableau (pas trop grand, très clair et luisant comme les sous qui allaient tomber dans mes poches) et il m'a tenu tête un long moment. Maryse ne grelottait plus depuis un certain temps. Même que j'ai réussi à lui faire avaler un Club Soda. J'ai rincé cette vaisselle disparate qu'elle pique un peu partout, arrosé ses plantes et j'ai vu à ce que son chat ne manque de rien.

C'est donc avec un sérieux retard mais l'esprit en paix que j'ai glissé la clé dans le démarreur.

Finalement, il y a pire que moi.

Sur place, je ne vois qu'un couple dont la partie masculine me déplaît au premier regard. Je mets ça sur le compte de la moustache, ce trait d'union poilu qui lui enfonce la lèvre supérieure et le fait ressembler à un aspirant flic.

Je serre les mains qui se présentent, ponctue mes phrases de sourires qui font valser les conversations et je me tiens le dos bien droit.

Catherine fait semblant de s'étonner que je ne sois pas accompagné.

J'invente un truc qui puisse la satisfaire avant de m'inquiéter de ce qui se présente parmi les bouteilles sagement alignées sur une petite table de service. Un bref coup d'œil du côté de Julien, et me voilà avec un scotch entre les doigts.

L'aspirant flic fait dans l'immobilier et me jure qu'il n'y a pas de meilleur moment pour investir. J'acquiesce de la tête et la tourne du côté de Julien, qui n'a d'yeux que pour Catherine. Alors moi, forcément, je pose quelques questions puis m'intéresse à Béatrice, sa compagne, qui semble partager mon ennui.

Complètement à côté de la plaque.

Elle traficote aussi dans l'immeuble et se passionne même pour son boulot. De plus, elle possède quelques trucs supplémentaires pour baiser l'impôt.

À quoi bon, me dis-je, afficher un tel décolleté si c'est pour causer d'échappatoires fiscales ?

Au bout d'un moment, je me retire du côté où Julien se terre depuis un certain temps en songeant à cette promesse qu'il devait tenir.

— Dis donc, mon vieux camarade, sont où Fred, Richard et David ? Je pensais qu'on discuterait d'autre chose que de finance.

Sentant le malaise s'installer, je décide sur un coup de tête d'en saupoudrer un peu plus.

— J'ai relu mes classiques et j'en ai épais comme ça contre Mao.

Il bafouille un brin pour enfin me faire comprendre que ces gars-là sont souvent très occupés. Il n'y avait que Fred qui était disponible.

Dommage. J'aurais bien aimé revoir Richard. Lui et moi, à l'époque, nous nous chargions de tout le côté visuel de la propagande de l'organisation. Mine de rien, on peignait la tête des assassins parmi les plus notoires de l'histoire sur d'immenses bannières devant lesquelles on venait scander en chœur que ces types-là allaient sauver l'humanité.

Bref, j'aurais aimé lui serrer les mains et, du même coup, vérifier s'il a pris le temps de les décrasser.

Mark et Estelle se pointent dans un concert d'ébahissement.

Ciel! qu'ils planent pour des gens que j'imaginais nager dans la merde! Toujours affable, Mark vient me saluer de son fameux coup de poing à l'épaule alors qu'Estelle se contente de tendre sa main toujours aussi laiteuse et moite.

Les meilleurs sièges étant occupés, je dois me contenter d'un bout de table qui me laisse dans l'obligation de maintenir mon équilibre.

Je me sens comme un chiot calme et gentil, mais qui se promet bien de pisser dans un coin à la première occasion. Un ixième scotch atterrit dans ma main et je songe à toutes les possibilités qui s'offrent quand il s'agit de creuser sa propre tombe. À toutes ces vulgarités qui montent aux lèvres. Aux colères qui se roulent au fond de la poitrine et qui, civisme oblige, se noient dans une lampée d'alcool, histoire de ne pas faire d'histoire.

Il est question de la vie, des innombrables et périlleux changements et de ces jeunes écervelés à tête d'Iroquois qui squattent un édifice de l'est de la ville. Je risque un œil vers Julien qui, lui, ne risque plus rien. J'aime bien le sentir ainsi, dans ses souliers de premier communiant, ne sachant plus trop comment ramener l'air du temps dans des considérations plus générales et inoffensives. Je parierais ma chemise qu'il va nous entraîner vers des questions sportives.

Là où tout le monde a son mot à dire sans jamais suer la moindre goutte.

Dans le coin le plus reculé de la pièce, je tente de m'éloigner des autres. Le récepteur coincé entre mon oreille et mon épaule, je compose le numéro de téléphone de Maryse. Je compte les coups retentissants de la sonnerie. Après chacun, mon inquiétude monte d'un cran.

Au quatrième, je dépose le récepteur.

Elle est sortie ou elle est morte après s'être suicidée au Listerine, je me dis. Je ne vois pas d'autres avenues et mise très fort sur une sortie impromptue. À moins, bien sûr, qu'une voix se soit manifestée à son téléphone. Une qu'on attend, impatient, et qui annonce qu'elle connaît cette fille dans son hamac sur nos affiches. Belle, vivante et toute pleine d'une sémillante colère.

Mais sur ça, je ne miserais pas le moindre dollar.

Je repose ma fesse sur mon petit coin de table tout en regardant Estelle qui a le regard planté dans le mien. Il y a quelque chose dans ce regard-là. Doucement, je laisse mes yeux glisser sur ses jambes luisantes comme du satin dans leurs bas de soie. Qu'elles soient entrecroisées ne m'empêche pas d'imaginer que tout là-haut il y a peut-être un appel. Une juteuse invitation qui me signale qu'entre elle et moi il y a une question à régler et que, ma foi, le plus tôt sera le mieux.

Quand je relève les yeux, les siens sont déjà ailleurs, mais je m'invente un brin de langueur dans ses gestes afin de passer à travers la soirée sans rien fracasser.

Je suis en train de brasser le glaçon de mon scotch avec une branche de céleri piquée dans un plat qui traînait par là, quand la porte s'ouvre sur un type que tout de suite je reconnais : Fred. Le visage mince comme la lame d'un couteau affûté mais avec encore ce sourire qui lui ouvrait tant de portes par lesquelles nous nous faufilions.

Je plonge ma main dans celle qu'il me présente et je sens bien que la chaleur y est. Il manque Richard et David, mais j'admets que Fred est celui que je voulais revoir. Celui qui revêt la face la moins sombre de nos années guerrières.

— Encore en usine ! je m'étonne.

Ce fameux «mode de vie prolétarien» dont s'affligeaient certains militants de l'époque. Pas suffisant de se faire croire qu'on était pauvre, enragé et à deux doigts du désespoir, fallait sauter dans le vide. Que ce soit plus vrai que vrai. Laisser les études, épouser une camarade pour la justesse de ses opinions sur la Chine, expurger les crimes d'une histoire qu'on dénonçait et qu'on répétait comme des imbéciles, faire des petits, bouffer de la merde, vivre dans la tranquille quiétude du militant à qui l'histoire finira bien par donner raison.

Les doigts usés par le travail et le cul triste comme les pierres.

Et, surtout, fallait entrer à l'usine pour bien souligner notre appartenance prolétarienne. Pour bien mimer ceux que, pour la plupart d'entre nous, nous méprisions dans les faits.

La bonne parole ne voyageait qu'à coups de sacrifices et d'abnégation.

Et, pourtant, suffisait d'un joint qui circulait ou de quelques bières fraîches pour voir galoper ce qui nous gonflait les veines. Cette rage demandait plus que de glisser une carte dans le *punch clock* pour crever comme ceux qu'on prétendait sauver.

Mais bon, Fred, c'est Fred avec sa tête de bon gars à qui on a envie de tout donner. En deux temps, trois mouvements, il m'explique qu'il s'en sort finalement bien à condition de ne pas rêver trop haut.

Pendant le repas, Fred se mêle à tout ça comme s'il y était né. Faut dire qu'avec son visage étroit comme le chas d'une aiguille, ce gars-là attire depuis toujours les sympathies comme la merde les mouches.

Rien ne m'intéresse vraiment, mais j'excelle à faire semblant et tout ça comble Julien qui, je le jurerais, n'est pas dupe. Quant à Catherine, elle ne voit rien tellement elle s'affaire à donner bonne impression aux copains de son homme.

— Dan, me lance Mark au moment où je commence à reconsidérer ma première impression sur l'aspirant flic, Dan, si on veut acheter de tes tableaux, comment on s'y prend pour les voir ?

Julien est ravi de cette question. Un sourd l'entendrait dans ses yeux rien qu'à les voir briller. Tellement comblé qu'il prend les devants et répond à ma place. C'est vrai qu'il a une belle gueule quand il s'agit de vendre quelque chose. Que ce soit une idée ou un objet, son regard prend de l'ampleur et le verbe l'imite tant et si bien que le vis-à-vis se retrouve ficelé en moins de deux.

Je l'ai vu, tant et tant, opérer et s'en sortir avec les honneurs. Devant des syndicats ou une fille, les dés tombaient toujours en sa faveur.

— *Good*, conclut Mark ! Alors, Estelle et moi, on passe à ton atelier bientôt.

— Héééé !!! couine aussitôt Catherine, ça doit te faire plaisir, ça.

— Oui, bien sûr, mais tu sais, une vente de plus ou de moins… je me sens obligé d'ajouter, histoire de tiédir une ambiance qui commence à chauffer.

Après le repas, je m'empresse d'aller m'affaler à une place de choix en prenant soin de garder celle à mes côtés pour Fred. Repues et à moitié soûles, les carcasses se dégottent des sièges et c'est Catherine qui se voit attribuer le petit coin de table où son cul d'enfer est sans doute plus à l'aise que le mien.

Quand les voix se mettent à bombarder plus sérieusement le silence, je m'approche de Fred en train de rouler un joint.

— Dis donc, mon vieux, tu te souviens de cette fille, celle qu'on appelait Rosa-Lux ?

Vraiment un type bien, ce vieux Fred. Aussitôt ma question lancée, il décoche un sourire qui me fait comprendre qu'il y a encore de la place pour les vieilles idées qui ne vous lâchent plus.

❑

Je farfouille dans la litière de Pensif afin de lui redonner une chiotte convenable en même temps que je compte de mémoire le nombre de jours depuis le départ de Maryse. Six en tout. Je ne me sens pas le moins du monde alourdi d'une peine d'amour inutile. Tout allait et je laissais glisser. Entre cette militante-là et moi, les choses étaient claires depuis le premier regard.

Sans passion.

Sans effluve.

Sans rien qui puisse venir entraver le cours de l'histoire qui, dans son esprit, va bon train, alors que dans le mien, elle a tendance à passer du couplet au refrain sans jamais déroger d'une seule rime.

Suis-je trop usé pour ce genre de rêve ?

Sans doute.

Vais-je lui mettre le nez sur cette machine immense et tellement réglée au quart de tour que plus rien ne peut la stopper ?

Sans doute.

Ne me reste plus qu'à choisir le moment et les mots pour l'aider à se retrouver un jour à ruminer autre chose qu'une pâtée acide et bourrée d'amertume.

Me sentirais-je moche de lui claironner tout ça ? de tirer sur le rêve comme sur un pigeon d'argile rien que pour tester mon habileté de franc-tireur ?

Sans doute.

Vais-je le faire ?

Ça reste à voir.

Le fait est qu'il m'arrive de sentir le besoin de lever le drapeau blanc. Bien sûr, mes questions restent posées. C'est dans l'attente de réponses que ça commence à achopper. Et puis, l'attrait des petits bonheurs commence peut-être à faire son chemin. Voir pointer l'avenir sans ressentir l'inlassable nécessité de fourbir les armes... Sans toujours dégainer cette colère somme toute orpheline et errante... Regarder une fille pour ce qu'elle promet, un tableau pour ce qu'il donne à voir... Poser la main sur un chien sans y reconnaître un vieux frère...

Bref, prendre la vie du bon côté.

On m'a brièvement signalé que Maryse passait son temps au squat, sans doute à soigner sa révolution, et puis ça, je dois bien reconnaître que c'est son truc à elle. Quant à moi, j'ai réchauffé les bancs assez longtemps pour reconnaître aisément qu'il n'y a pas de confort à en attendre.

Pour ce qui est de l'inépuisable chaton, il a appris à se foutre de l'absence. Il bouffe ce que je lui verse de grenaille, lape l'eau du bol voisin et me semble chier avec une conviction excessive.

Une fois la corvée terminée, je m'arrête devant les quelques tableaux accrochés dans l'atelier. Il y a tout de même des choses bien dans ces œuvres en marche. Elle a du chien, Maryse. Un sens de la forme et une approche de la couleur qui pourraient faire rougir quelques-unes de mes connaissances. Finalement, une intelligence qui va la laisser crever de faim dans son coin à moins qu'elle ait les reins assez solides pour supporter les courbettes et la privation.

Je laisse le matou s'auto-caresser sur mes chevilles, puis je retourne m'engouffrer dans mon atelier où il fait une chaleur encore plus assassine que chez Maryse.

❏

Je suis en train de m'éponger le front en damnant le ciel quand on frappe à ma porte.

De l'autre côté, je retrouve Estelle, finement découpée dans une robe rouge. C'est à cause de la chaleur insupportable qu'elle peut me rendre cette visite impromptue. N'eût été de la lourdeur du temps, je me serais rendu quelque part où ça sent autre chose que l'acrylique et les tourments.

Mais je ne suis pas surpris de la voir surgir avec cette lumière dans le regard. Depuis notre dernière rencontre chez Julien, fallait pas être cartomancien pour prédire ce qui déjà me semblait inévitable.

Aussitôt la porte ouverte, je ne mets pas des heures à comprendre qu'elle n'est pas là pour me parler d'art contemporain et des foutus concepts tarabiscotés qui mènent tout droit à la répétition d'une histoire qui n'en finit plus de finir.

Elle me dit bonjour, ou un truc qui ressemble à ça, en me dardant avec ses yeux de pute à cinq cents dollars l'heure qu'elle sort de je ne sais où. Je jette un coup d'œil derrière moi pour m'assurer que le sol m'attend avant de se dérober. Puis sa bouche se plaque sur la mienne. Même pas le temps de lui offrir à boire que déjà, d'une caresse à l'autre, on se dirige vers le centre de la pièce.

Elle se défait de ses vêtements avant de s'attaquer aux miens. Je n'en crois pas mes yeux tellement les choses les plus compliquées peuvent devenir un jeu d'enfant.

Il y a des jours comme ça.

Je me demande si tout ça est bien raisonnable. Comment pourrai-je regarder Mark en face dorénavant?... Comment pourrai-je lui adresser la parole sans que ma voix s'étrangle, accablée par le remords?...

Je sais bien que je me perds dans des considérations inutiles et que j'y arriverai sans le moindre ennui à la première occasion. J'ai déjà pratiqué l'exercice à quelques reprises.

Le coït infernal est un chasse-mémoire infaillible.

J'aimerais lui dire que ce n'est pas sérieux de baiser au beau milieu de tableaux à peine séchés et qui, de surcroît, se veulent des œuvres destinées à relancer le type que je

suis sur la scène montréalaise. Des œuvres devant lesquelles j'espère entendre des « Oh ! » des « Ah ! » et toute
une kyrielle de compliments que je laisserai couler sur ma
conscience tranquille.

Mais je lui caresse le dos et elle s'occupe comme un
véritable maestro du cul de l'orchestration du concert
qu'on improvise sur un coup de tête. Toutefois, j'ai beau
faire, ça accroche quelque part. J'ai beau jouer du bassin
comme un chien en manque, rouler des yeux, pointer la
langue... Mon corps obéit parfaitement (a-t-il le choix ?),
c'est dans ma tête que ça refuse de bander. Là, sous ma
calotte, rien ne s'étire, ne s'affermit. Le flux sanguin se
cogne sans doute à quelques vieilleries qui traînent par là.

La trahison ?

Je trahis qui en jouant un peu avec Estelle qui s'amuse
avec moi ? Qui devra payer la note des pots qui risquent de
se casser ?

Maryse ? Cette fille qui, entre deux révolutions, pique
ce qui lui tombe sous la main ? qui disparaît des jours
entiers sans jamais s'imaginer qu'on peut crever d'inquiétude ? La rage en laisse. Le cri étranglé de stratégies.
L'anarchie réglée comme un cadran qui s'entête à ne jamais
sonner. Maryse, la conscience toujours agitée... L'espoir
qu'on anéantit à coup de slogans et qui ne va jamais nulle
part à force de se ruer sur tout.

Quand même pas Heather, toujours à planer parmi les
anges avec ses *cookies* magiques et qui rêve de voir grossir son ventre pour être bien certaine de ne jamais crever
tout à fait... Cette fée qui cherchait son salut dans les
étoiles et qui regarde le chaos comme on regarde pousser
les fleurs.

Alors, si c'est du côté de Rosa-Lux que je dois torturer
mon esprit, vaut mieux que j'aille prendre l'air en emprun-
tant le raccourci de ma fenêtre.

Bien sûr, je retombe sur mes jambes et règle un peu rapidement ce léger cas de conscience, mais il y a des jours où l'on est dans l'obligation de se questionner un peu.

N'empêche que ces trois noms me trottent sérieusement dans la tête. Ça s'étend d'un passé très lointain jusqu'à ce petit bout d'avenir qu'il m'arrive d'imaginer avec Maryse.

Dans le présent, Estelle mène merveilleusement les opérations.

La lumière crue du plafonnier donne à ses cheveux des reflets presque bleus que je n'avais pas remarqués et que je retrouve dans sa toison. Pour une question d'hygiène élémentaire, j'étire la jambe vers le sac de couchage qui traîne tout près. Avec ce mollet bousillé, c'est moins facile qu'on ne l'imagine.

J'entraîne Estelle sur ce qui va nous servir de lit puis, ensemble, on ferme les yeux.

Après un long moment rempli d'une panoplie d'acrobaties, nous nous arrêtons, plutôt contents de nous-mêmes et de l'inouïe facilité de notre plaisir. Elle n'a toujours pas prononcé le moindre mot et, pourtant, je me considère comme bien placé pour savoir que le chat ne lui a pas mangé la langue.

Finalement, elle se lève, reprend ses vêtements et m'explique qu'elle doit acheter un chien pour garder la maison lorsque Mark et elle doivent s'absenter.

— Tu dois t'y connaître en matière de chien, toi, elle me lance sur un ton que je ne sais pas trop comment interpréter.

Je me contente de lever les mains pour qu'elle comprenne que je n'y connais foutrement rien et que, de toute façon, faut pas toujours compter sur les chiens pour accomplir ce que les hommes sont incapables d'affronter.

Prise d'un fou rire, elle m'annonce que Mark a une peur bleue de ces bêtes-là, tout en enfilant son vêtement avec moins d'aisance qu'elle n'en a eue pour le retirer.

Quant au slip, il remonte comme par magie pour disparaître sous la robe et se transformer en vague souvenir.

Estelle me fait un peu peur. Je la soupçonne d'avoir au
fond de sa bouche une petite phrase assassine qu'elle peut
lancer à tout moment comme le kamikaze qui sort toujours
de nulle part. Un regard, un sourire et Pan! on se retrouve
sur le cul, blessé jusqu'à la fin des temps.

— Alors, que penses-tu d'un doberman? elle me
demande au moment où j'ai l'esprit ailleurs.

Je grimace longuement pour la forme avant de lui
expliquer que, si Mark a peur des chiens, avec une telle
bête, il n'osera plus jamais mettre les pieds à la maison. Ce
qui ne serait peut-être pas si mal, au fond, mais ça, je le
garde pour moi et lui conseille un truc plus poilu, plus gentil et dont les crocs ne servent qu'à bouffer ce qu'on lui
offre gentiment.

— Tu sais, je dis, si Mark chie dans son pantalon devant son chien, c'est lui qui va se retrouver en laisse en
moins de deux.

Elle me sourit, et je saisis que, s'il y a des sourires qui
en disent long, derrière celui-là c'est toute une histoire qui
s'exprime.

Sur le pas de la porte, elle se retourne en tendant le bras
en direction des tableaux empilés.

— Choisis celui que tu veux et fais-le livrer chez moi
avec la facture.

Je ne sais pas si cette visite-là, je dois la classer dans la
colonne des gains ou dans celle des pertes. Mais je me promets bien de réfléchir à la question.

❏

Toujours pas de nouvelles de Maryse. Depuis deux
jours, j'arpente tantôt mon atelier, tantôt le sien, dans

lequel je trouve un peu plus de confort. Je masse périodi-quement mon mollet qui s'accommode mal de l'humidité enveloppant la ville; mon front perle et j'ai l'impression que deux fins ruisseaux ont surgi sous mes aisselles.

Je sacre, blasphème, maudis tous les dieux et je reven-dique le droit inaliénable de respirer autre chose que de la poisse.

Chaque soir, je traverse chez Maryse pour entendre les messages téléphoniques qui s'entassent. Il n'est jamais question de Rosa-Lux.

J'en apprends de toutes sortes.

Je sais que des activistes de Seattle promettent une casse du tonnerre, que Pôrto Alegre devient la plaque tour-nante de l'action citoyenne internationale, que le problème de la fièvre aphteuse risque d'être un complot pour la sta-bilisation des marchés, qu'il faut proclamer la mondialisa-tion de la désobéissance civile. J'ai des nouvelles des mon-tagnes arides du Chiapas et des squats urbains de toute l'Europe. Je sais que ça gronde drôlement d'un bout à l'autre de la planète et qu'il est grand temps de tisser des liens de solidarité.

Mais je ne sais rien des raisons qui font qu'à l'instant même Rosa-Lux me manque.

Je repense à toutes ces affiches à son effigie qu'on a si soigneusement, patiemment et ardemment placardées sur les murs et je reconnais le portrait fidèle de la dérision qui me secoue.

L'inutilité m'habite.

Longtemps, je l'ai célébrée, je l'ai brandie comme un drapeau aux yeux du monde qui carbure à la rentabilité excessive.

«Si l'efficacité est le sens de la vie, l'inutilité est son sperme», je disais, dans un éclat de rire, à Heather qui se foutait joyeusement de ma gueule.

Là, maintenant, l'inutilité me paralyse.

Avec Maryse, quand je cause de mes frasques mili-
tantes, que je les décore, les agrémente et les narre, toute
une vie s'illumine dans mon dos et ça dessine une drôle
d'aura. Et puis, il y a partout Rosa-Lux que Maryse arrive
à voir, à entendre, à envier... Elle a du flair, Maryse. Un
regard qui porte loin. Ce sera une sacrée peintre, cette fille-
là, le jour où l'insurrection appréhendée des masses oppri-
mées lui foutra enfin la paix. Le jour où, tournant son
regard vers elle-même, elle verra qu'elle est une espèce de
tiers-monde qui ne doit compter que sur ses propres forces.
Qu'il y a des révoltes moins sanglantes mais plus meur-
trières qui n'auront toujours, aux yeux de l'histoire, que le
poids d'un duvet d'eider.

Les bras pendant le long du corps, le mollet durci, j'ai
sous les yeux une toile blanche où je peux tout imaginer.

Même pas besoin de lever le petit doigt. Je peux, si je le
veux, créer des trucs inimaginables que je resterai le seul à
voir.

Pour l'heure, je suis seul avec mon imagination sur le
flanc et ma tête fêlée, dans laquelle je traîne Rosa-Lux
comme un cadavre à qui je m'entête à prodiguer les premiers soins.

L e regard vide et le cœur sale, je sirote lentement le scotch que Catherine vient de m'offrir. C'est le deuxième qui choit sur le bar avant même que je demande quoi que ce soit. N'en faut pas plus pour que je devienne soupçonneux et me mette à imaginer les pires choses. Alors, avant que sa générosité ne la pousse à des excès, je me contente de tremper les lèvres dans mon verre en me jurant de comprendre les raisons qui l'amènent à autant de gentillesse. En ce qui me concerne, je ne bouge pas d'un millimètre et même, je dirais que ces derniers jours ont raffermi ce caractère devant lequel elle ne cesse de lever les yeux à défaut de carrément le tirer à bout portant.

Que me veut-elle avec sa charité et ses demi-sourires ?

D'emblée, j'élimine la drague. Il y a des choses comme ça qu'il vaut mieux rayer de la carte subito presto avant de se prendre au piège. Je ne suis pas d'humeur à me rafistoler l'âme. Il y a depuis quelques jours du sable dans l'engrenage et je crois fermement que, quand la mer est étale, c'est le moment rêvé pour y poser les yeux sans se laisser distraire par quelques lubies, si alléchantes soient-elles.

Et si elle est aussi liée à Julien qu'elle le laisse entendre, elle ne peut même pas ressentir un soupçon de tendresse pour un gars comme moi. Je sens l'alcool, mon corps suinte et j'ai un peu d'acrylique sous les ongles. D'ailleurs, si jamais j'avais une seule qualité à décerner à cette fille-là, ce serait bien de ne pas savoir cacher ses antipathies.

J'allume une cigarette, enfile d'un trait le verre dans lequel s'humectaient mes lèvres impatientes et le dépose sur le bar avec une petite mise en garde.

— Le prochain, je le paye.

Et le chat se décide finalement à sortir du sac où, je le sentais bien, il a de plus en plus de mal à cacher son angoisse.

— Je trouve Julien un peu bizarre, depuis quelque temps. Il n'est plus le même.

C'est précisément ce que chaque jour je me dis, quand j'ai un moment de libre.

— Il n'est plus le même...

C'est rien, ça, ma fille, je pense. Tu n'as jamais vu ce gars-là à l'époque où il traînait une bombe dans sa tête. Quand, d'un seul regard, il fauchait les piteuses prétentions qui se voyaient toujours perchées au sommet. Toi, au mieux, tu mouilles un peu. Mais à l'époque, tu te serais noyée dans ton désir. Il n'avait qu'à ouvrir la bouche pour que la planète tremble tant son verbe claquait comme un drapeau sous le mistral.

— Souvent je lui parle et...

... il s'est assoupi avec le temps et le fric qu'il se dégotte à répéter les idées que nous avons déjà condamnées et qui nous embarrassaient quand il s'agissait de rêver un peu.

— Des fois, je suis déçue...

On a tous un prix, Catherine. On est tous sur l'étal et il suffit que quelques dollars nous tombent dessus pour qu'on vende notre mère.

— On a tous un prix, Catherine.

— Quoi? elle lance avant de partir assouvir trois clients qui se font discrets.

Parmi eux, l'hyène, Jimmy, mais je décide de fermer ma gueule. C'est mieux ainsi. Autant pour moi que pour lui.

Quand elle reprend place derrière son bar, je lui annonce que je partais rendre visite à Julien. Elle s'énerve un peu et me supplie de garder pour moi le brin de confidence qu'elle vient de me faire.

J'éteins ma cigarette, expulse la fumée et la rassure avant de partir.

— Croix sur mon cœur, je lui fais.

C'est un peu froid chez Julien. Je veux dire lui et sa façon de me recevoir qui ne dégage ni surprise ni enthousiasme. Une politesse feinte, tout au plus.

Et encore...

— Tu permets ? je lui demande en ouvrant le frigo pour attraper une bière.

Depuis le souper avec ses copains, j'ai bien sûr reçu un petit reproche de rien du tout, mais je ne peux pas croire qu'il a encore ça sur le cœur. D'autant plus que j'ai tendance à noter ma performance de la soirée tout près de la perfection. Pas un soupçon de grossièreté et à peine l'ombre d'une saute d'humeur...

Le travail qui le tarabiscote ?

Sûrement pas, je l'ai si souvent vu se sortir d'inimaginables pièges qu'il me paraît impossible qu'il se torture l'esprit avec un article à rédiger. Quel qu'en soit le sujet.

De plus, il s'affale dans le fauteuil, les yeux rivés sur la télé où il me semble reconnaître Robert De Niro jouant au caïd. Vraiment pas de quoi faire la gueule. J'avale ma bière avec un peu d'empressement avant d'hésiter un instant entre la sortie et le fauteuil libre.

— Tu sais, j'annonce, ça va se faire, cette vente de tableau. Estelle est venue faire son choix.

— Il semble que oui, hein ? il réplique sèchement.

Faut voir sa gueule. Faut voir comment elle me transperce, me traverse de part en part, me laissant là, sans recours au beau milieu d'une mer en furie. Même pas une petite civière pour les dommages collatéraux, comme ils disent. Désarmé et sanguinolent sous les lames qui jaillissent de ce drôle de regard.

Pas le choix, je dois en savoir plus.

Quitte à y laisser ma peau, faut que je force un peu cette gueule d'acier qu'il fait et vers laquelle, dans un geste somme toute naturel, mon poing aurait tendance à atterrir.

Alors, forcément, je me laisse aller à ma curiosité.

Je ne sais pas comment il s'y est pris, mais il sait qu'Estelle et moi, on a largement débordé le cadre de l'art contemporain. Je veux bien que les murs aient des oreilles, mais là, ils ont même des yeux, une bouche et un ciboulot capable de tirer des conclusions. Je n'arrive pas à m'imaginer qu'Estelle se soit vantée de ça. Elle n'a pas une tête à claironner bien fort ses conquêtes. Je connais ce genre de filles. Capables de tout mais à condition qu'un brin d'amnésie fasse partie du jeu.

Mais, dans ce monde, on n'est sûr de rien.

— Tu trouves ça brillant? il chiale presque. T'as pensé à Mark dans tout ça?

Je ne comprends pas comment ce type qui, dans le bon vieux temps, a baisé avec une bonne moitié des filles de toute la gauche de l'île de Montréal, peut venir me brandir sa morale de défroqué repenti sous le nez.

— Puisque je te dis que la vente est conclue et que...

— Parce que tu as vendu ton tableau, l'histoire n'existe plus? Il n'y a plus de crainte à y avoir et le reste du monde peut bien aller se faire foutre? C'est ça? s'étouffe-t-il.

Juste comme je vais lui demander de me sortir de ma surprise, de m'expliquer en quoi cette petite escapade avec Estelle risque de mettre l'humanité en péril... Comment deux adultes en pleine conscience commettent-ils un crime en se laissant emporter du côté du plaisir?... En quoi jouer dans le dos d'un porc de la trempe de Mark Jenson est-il une abomination?... Il augmente le son de la télé.

— En quoi ça te dérange ? j'arrive à formuler.

— Si toi tu te fous de tout, si toi tu n'as pas besoin de Mark, ben moi, mon vieux, j'en ai besoin. Et quand tu fais une connerie, ben je m'en trouve un peu complice.

J'entends des coups de feu à la télé et ça correspond assez bien à l'état de mes nerfs. Tout ça a commencé comme si j'étais celui qui ne se refuse rien, qui lève la jambe à la moindre occasion, et voilà que c'est lui, Julien, qui putasse avec ce qu'il y a de plus dégueulasse. Le genre de type qu'il aurait joyeusement décapité il y a tout juste vingt ans.

Hier en quelque sorte.

Je me lève lentement et me dirige vers la sortie. Une fois la main sur la poignée, je me retourne pour assouvir ce qui me reste de curiosité.

— Comment tu as appris pour Estelle et moi ?

— …

Bien sûr, avant Catherine, Estelle était sa maîtresse et il en subsiste quelque chose. Elle n'est pas le genre de femme qu'on oublie aussi facilement. Elle n'est pas le genre qui se laisse oublier aussi aisément. Je viens donc de bousiller la complicité de deux anciens amants qui ruminent le passé. Deux vaillants noceurs qui sautent peut-être encore sur l'occasion pour se peloter gentiment entre l'entrée et le plat principal.

Et puis, je me suis pointé… L'air du gars qui ne rate jamais la chance de plonger dans le bon temps quand celui-ci se présente.

Elle s'est servie de moi comme on se sert d'un outil ?

J'étais l'aboutissement de sa jalousie ?

L'instrument de sa vengeance ?

Une arme qu'on braque ?

Putain !

Finalement, c'est le dixième jour que le téléphone sonne aux petites heures. Ça ne peut pas mieux tomber, car je n'ai pas déployé mes ailes depuis deux bonnes journées.

Ou à peine de quoi m'étourdir.

Quand ma main attrape finalement le téléphone, je le colle à mon oreille et tout au bout, c'est la voix d'une Maryse en pleine forme qui me tire de ma nuit.

Dehors, la ville semble sommeiller, mais je ne suis pas dupe.

Je ne suis jamais dupe avec les villes.

Elles sont capables de tout, et surtout la nuit.

— Enfin ! je lance en avalant presque le combiné.

La voix de Maryse débite tout plein de choses qui s'entremêlent, tant et si bien que, une fois qu'il a traversé mon tympan, je dois tout réorganiser pour saisir un peu de son propos. Quelques mots clés se suivent et d'autres s'entrechoquent et il y en a une bonne quantité qui s'envolent dans les limbes.

— Alors ! j'arrive à la couper. Il se passe quoi au juste ? Tu téléphones après une éternité, en pleine nuit en plus, sans même te demander si je n'allais pas signaler ta disparition.

— Mais tu sais où je suis, elle me coupe à son tour mais un peu plus durement.

Puis elle m'explique très clairement que je n'avais pas besoin de signaler sa disparition puisque, là où elle se trouve, il n'y a que ça, des flics, qui eux savent parfaitement où elle est.

— Et puis merde, t'avais qu'à regarder les journaux ou les informations à la télé...

Faut dire que sur ce plan elle marque un point, mais je ne me sens pas d'humeur à avouer le moindre laisser-aller.

— ... et puis, ça ne t'est pas défendu de venir devant le squat en signe de solidarité.

J'ai encore ce foutu mollet mais, là non plus, je ne veux pas m'attarder. D'autant plus que je ne m'attends pas à un concert de sympathies.

— Bien sûr, si ces questions t'intéressent encore... C'est important ça, la solidarité, Dan.

— À qui le dis-tu ! je réplique dans un haussement de sourcils.

Je sens bien qu'elle me tire du côté de mon passé. Qu'elle me demande de ressembler un tant soit peu à ce que j'étais.

Rêveur, rageur, rebelle, insoumis ?...

— ... ici, on remue ciel et terre, elle clame.

Ciel et terre !

Ciel ?

Jamais ça ne m'a même effleuré l'esprit, mais c'est peut-être là que se terre Rosa-Lux. À haranguer les anges, à terroriser les saints et à faire bander Dieu...

Je m'attarde un instant aux petites choses de la vie sans trop insister, de peur de me faire ramasser comme une vieille chose réactionnaire qui se fend en quatre pour gâcher une révolution sur le point d'aboutir.

— Mais tu vas bien ? je demande.

Bien sûr qu'elle va bien, puisqu'elle marche dans le sens de l'histoire. Celle qui mène l'humanité vers son affranchissement.

— Et tu bouffes quoi ?

Ma question tombe à plat et la ligne se coupe. Elle m'avait prévenu, il n'y a qu'un téléphone cellulaire pour toute la bande. Les piles font bien ce qu'elles peuvent, mais il n'y a pas de miracle à attendre de ce côté.

J'ai quand même compris que je suis invité à une soirée de solidarité pour les squatters, où il devrait y avoir des invités importants, des militants de toutes les tendances et, qui sait, Rosa-Lux, peut-être ?

À part ça, tout semble aller, m'a-t-elle juré, bien que, de mon côté, je parierais ma première culotte qu'elle n'a même pas apporté de sous-vêtements de rechange.

❑

Je fais un saut au Désert du Diable juste pour en prendre le pouls et un scotch. Catherine me regarde à peine. Elle tourne autour du vide, fouille partout et fonce au-devant de clients qui ne lui ont rien demandé. Quant à Jo, je n'attends même pas un battement de cils de sa part. Jusqu'où ce truc avec Estelle a-t-il fait des ravages ? je me demande sans pour autant ressentir la moindre culpabilité. Je considère avoir passé l'âge des culpabilités qu'on traîne jusque dans la tombe. Je ne souhaite qu'une chose, c'est que Julien ne soit pas allé répandre sa hargne dans la tête des autres.

— Julien n'est pas dans le coin ? je demande.

Catherine fait signe que non, sans arrêter d'astiquer ses verres.

Je ne vais pas me trancher les veines pour un truc pareil. Je ne vais même pas esquisser cette petite moue de fautif. Alors, pour ce qui est de baisser les yeux... J'ai appris à la dure qu'il y a dans la vie des choses qui sont à prendre ou à laisser et, partant de là, faut savoir faire son nid.

Je feins de m'intéresser à un journal qui traîne sur le bar quand j'entends une porte se refermer. Par la fenêtre, j'aperçois Catherine qui s'en va d'un pas alerte. Du côté du bar, Jo chausse son tablier de serveuse et je comprends que ce n'est pas de ce côté que je vais recevoir du réconfort.

Huit heures quarante, et rien n'est encore commencé. Les révolutionnaires sont des stars qui se font attendre et le plus beau de l'histoire, c'est que personne ne s'énerve. Je promène mon regard sur les participants et m'attarde sur les têtes susceptibles d'avoir quelques fils gris dans la tignasse, bien que j'aie un mal de chien à imaginer Rosa-Lux avec la moindre ride. Pourtant, le temps l'a sûrement abîmée un peu, elle aussi.

À l'entrée, deux Apaches m'ont remis quelques tracts dans lesquels je me plonge en attendant que les discours commencent enfin. À l'occasion, je souris devant une énormité, mais je sais bien que je suis on ne peut plus mauvais juge. D'autant qu'il m'arrive de ne pas donner ma place à ce chapitre.

Un peu partout autour de moi, ça se serre la pince, se fait la bise et échange toutes sortes d'encouragements auxquels je n'entends strictement rien.

La politique n'est plus ce qu'elle était. Il est question d'arbres, de rivières et d'effet de serre. Les guerres grondent, les catastrophes n'ont de cesse de s'annoncer...

Je me retrouve avec les deux pieds sur une planète en feu. L'ennemi est partout, jusque dans l'air qu'on respire, mais jamais personne n'est nommé.

On veut des noms ! j'ai envie de crier.

Des noms, des cibles...

De quoi se mettre sous la dent !

J'attends et mes poches se remplissent de feuillets qui me répètent que ça va vraiment très mal sur cette foutue terre. Même le ciment sur lequel j'use mes semelles devient suspect.

De quoi se demander si la solution à tout ça n'est pas tout simplement d'allumer un grand brasier.

— Tu n'exagères pas un peu ? je demande à un gars qui me refile un tract dans lequel on tente de me convaincre que la terre qu'on occupe devrait suffire à nourrir ceux qui y vivent.

— Chaque peuple devrait pouvoir se nourrir du pays qui est le sien.

— Rien que ça ! je m'exclame.

— Absolument ! me jure-t-il avant de se lancer dans une ribambelle d'explications.

— Tu comprends que le jour où j'ai envie de bouffer une orange, le poste le plus près, c'est la Floride ? je m'étonne encore.

Il a tant d'arguments que je m'essouffle rien qu'à penser qu'il peut tenir le coup pendant des heures et des heures à ce rythme.

Une rumeur circule à l'effet que Noam Chomsky, militant anti-mondialiste, sera de la fête.

— Chomsky, le nouveau dieu ? je demande avec un brin de malhonnêteté.

Je sais bien que ce type ne se prend pas pour un dieu. Ni Marx, d'ailleurs. Dieu n'existe pas, la question est réglée depuis des lunes. Le problème, c'est notre fantastique disponibilité à devenir des apôtres.

— Le pape de l'anti-mondialisation ici ? À une soirée de soutien à de jeunes squatters ?

Il finit par hausser les épaules avec un air de dépit et je comprends que ce garçon est plus sérieux que je ne le croyais.

À bout de souffle mais toujours avec ce sourire qui expose toutes ses dents, Maryse est arrivée.

— Et puis ? elle demande.

— Ben non, rien, je lui lance avec un air faussement désolé.

On en est là. Même plus besoin qu'elle me précise le sens de sa question et, de mon côté, un seul regard suffit pour y répondre.

En fait, je n'ai jeté qu'un coup d'œil distrait sur les gens. Comme si le désir de revoir Rosa-Lux s'estompait, fondait sous l'ardeur de ces jeunes qui se baladent sans peine avec le monde sur le dos. Et puis, on aurait l'air de quoi? D'anciens camarades de longues et ardues batailles? D'orphelins politiques qui viennent se rafraîchir les idées? s'abreuver à tous ces discours anti-mondialistes où l'on finit par se perdre tellement la liste est longue?

Je me demande si on saurait se faire face. Il y a eu nos batailles, mais il y a eu aussi des moments où la moindre idée, fût-elle révolutionnaire, n'aurait pu trouver suffisamment d'espace pour se glisser entre nous.

Maryse me présente enfin ce gars qui a trop d'idées pour une seule tête. Charles, qu'il s'appelle. J'attrape cette main qu'il avance et le silence surgit devant les discours qui vont se mettre en branle.

Salués par des applaudissements, les orateurs se succèdent avec, chacun, un ballot bourré de bien tristes prédictions.

«À moins que nous nous relevions les manches...», clame bien haut un type un peu vert pour supporter toute cette ambition. Mais l'enthousiasme est de la partie.

Et les mains battent l'air... Et les gorges s'étranglent en une série de bravos... Et les lèvres se fendent en sifflements... Et tout ça finit par me traverser le crâne. Je branche alors mon esprit sur l'humeur de la salle et je garde mes questions pour moi, balance mes doutes derrière mon dos. J'avais oublié que, dans ce genre de soirée, on pouvait annoncer des cataclysmes, prédire des crimes contre l'humanité ou aviser tout bonnement que le monde périclite sans que rien de catastrophique vienne entacher l'ardeur des troupes.

Le dernier discours atteint son apogée et, emporté par la vague, je me retrouve debout, applaudissant à m'en fendre les paumes.

Sur le trottoir, j'empoche encore quelques tracts et, flanqué de Maryse et de Charles, je me dirige tout droit vers le Désert du Diable où, en ce soir de désastres appréhendés et de guerres éternelles, on court la chance d'avoir un brin la paix.

De fait, on est pratiquement seuls avec une musique trop généreuse pour nous. C'est Jo qui assure le service et, celle-là, elle en a encore gros sur le cœur en ce qui me concerne. J'ai envie de lui expliquer qu'elle devrait prendre la vie avec un peu plus de bonne humeur. Avec les projets que concoctent Charles et Maryse, la vie va être une sinécure.

Je vide mes poches et Charles me jure que toute cette orgie de papier sera bientôt un vestige du passé. Avec Internet, ils peuvent ameuter les camarades de toute la planète en moins de temps qu'il n'en faut pour le dire.

— Ce qui, je précise en enfilant un scotch, n'empêche pas un camarade de Belgrade ou de Hambourg de prétendre que Chomsky va se pointer à une soirée entre amis.

Peu à peu, ces deux-là trouvent le moyen de m'entraîner sur la pente savonneuse de mes années d'engagement.

Avec cette soirée...

Avec ce scotch...

Bref, je veux bien m'y laisser aller, mais je sais d'avance que chaque moment, chaque événement va recevoir la charge de l'enthousiasme et de l'excès.

Et puis, un scotch ou deux de plus, et j'emprunterai les raccourcis qu'il faut pour semer quelques héros qui viendront mettre un peu de piment dans ce qui, tout compte fait, n'a rien de très glorieux. Ne restera plus que les formules ronflantes pour oublier les promesses non tenues, et le tour sera joué.

— Justement, me coupe Charles, Maryse m'a parlé de cette femme. J'ai montré la photo à des amis, et je pense que je peux peut-être t'aider.

— Merde, je laisse échapper. Faut pas tant en faire, tu sais. C'était une amie et la vie nous a éloignés.

Par moments, toute cette histoire m'emballe, et à d'autres, elle m'exaspère. Je vole dans des sphères adrénergiques pour ensuite plonger dans des abîmes où l'on me vide de mon sang.

Je veux bien garder la tête froide, mais tout me coule entre les doigts, avant d'aller se perdre dans le cœur des autres où ça prend une drôle d'allure.

J'écoute le jeune prolo en remarquant que Jo est généreuse quand vient le temps de jeter les glaçons au fond du verre.

C'est ça de gagné.

Ce matin, un voile couvrait la ville. Un voile si épais que je me suis passé les doigts sur les yeux pour être bien certain que ce n'était pas ma vue qui me jouait un vilain tour. Les immeubles allaient se fondre dans ce brouillard poisseux, épais, et j'avais toute une journée à traverser entre des courses et mille petites occupations domestiques qui se mettaient à ressembler à des montagnes qu'on doit bringuebaler.

Maryse prend congé de sa révolution pour faire un saut de vingt-quatre heures entre son chat et moi. Un excès de gentillesse m'a poussé à lui promettre de dépoussiérer son atelier pour terminer la soirée devant un repas qu'elle n'est pas prête d'oublier.

Le chat pisse, chie et répand son poil sur tout ce que possède Maryse, mais je décide de m'occuper d'abord de faire les courses avant que le soleil se mette à tirer ses rayons dans tous les sens.

C'est incroyable comme les gens se laissent assommer par la canicule, sans compter que les nerfs de chacun deviennent un chapelet de nœuds. Pour ma part, je procède vite aux achats sans trop m'escrimer pour ensuite tenter d'oublier qu'à chaque pas que je fais je raccourcis mes jours.

Je fume une demi-douzaine de cigarettes en avalant une bière sur une terrasse et je n'arrive pas à fixer mon attention sur quoi que ce soit. Les badauds défilent lentement et je trouve que les filles combattent de belle façon les excès de l'été.

Je pense à tout, j'effleure tous les sujets y compris celui de Julien, de qui je reste sans nouvelles depuis cette petite révélation. Je ne sais plus trop où l'on en est, lui et moi, mais je n'arrive pas à m'enlever de l'idée qu'il s'est énervé pour bien peu. Moi, je n'ai qu'obéi à l'appel de la nature dont Estelle s'est fait l'écho. Je ne prétends pas être sans taches, mais je garde en tête que son dossier est suffisamment étayé pour que je lui tienne rigueur jusqu'à ma mort, mais bon...

Au fond, il n'avait qu'à me mettre dans le coup. Il y tout de même des trucs que je sais respecter.

Je cherche une solution à tout ça, mais il fait vraiment trop chaud pour que je traîne ma conscience jusqu'au peloton.

Ma clé s'enfonce à peine dans la serrure quand le téléphone se met à sonner. Avec tous mes paquets, ce n'est pas facile de bondir de l'autre côté et je n'ai pas la carrure d'un enfonceur de portes.

Une fois dans mon atelier, je dois me rabattre sur la boîte vocale.

J'écoute et réécoute le message.

Je note et re-note chaque chiffre en soignant mon écriture.

La voix de Fred n'est pas très puissante et je vérifie une dernière fois l'exactitude du message. En haut du numéro j'écris : Rosa-Lux (Julie).

Ensuite, je plie le papier pour le mettre à l'abri du vent, de la pluie, du feu, d'une glaciation soudaine, d'une attaque nucléaire prévisible, d'un raz de marée toujours possible...

Contre les moments de folie, je ne peux rien. Ceux-là, ils emportent toujours tout.

Il ne me reste qu'à dénouer mes nerfs et à voir venir.

❏

Debout au beau milieu de l'atelier de Maryse, je constate que rien ne peut venir à bout de ce stupide chaton quand il a dans le crâne de souiller sa litière. Au moment où je me décide à replonger les mains dans la merde, la porte s'ouvre sur Maryse avec les bras chargés de sacs contenant des milliers de tracts.

— Si tu veux, elle me dit, j'ai une liste d'endroits où tu pourras laisser des piles de tracts. Si tu veux, bien sûr, précise-t-elle.

Je l'enveloppe dans mes bras comme pour lui souligner qu'elle et ses squatters, ils mènent une sacrée bonne bataille. La télé en parle, les journaux en font leur une et quant à la radio, je l'écoute d'une oreille si distraite que j'en arrive à oublier le son qu'elle émet.

L'ingratitude féline étant ce qu'elle est, c'est entre mes jambes que la bête vient fêter les retrouvailles.

Je me demande comment elle s'y prend pour, chargée comme un mulet, ne pas suer une seule goutte.

— Tu vas bien?

— Oui, elle me dit en se déchargeant de son fardeau.

La révolte et la colère lui vont comme un puissant antidépresseur. Tout sourire, le regard allumé et belle comme le matin. Puis, elle s'envole du côté de mon atelier pour se parquer un long moment sous la douche. Je l'imagine nue, ruisselante, se frottant tout le corps et la tête me tourne un peu.

À son retour, je suis en train de me battre avec des queues de langoustes, et le reste des ingrédients étalés sur la table ajoutent au sérieux de mon entreprise. Cuisiner est un art, paraît-il, et quand on se fait chier sur un tableau têtu, faut bien se rabattre sur quelque chose d'un peu plus festif.

Je parle dans le vide puisque Maryse, la tête enfouie dans une épaisse serviette, se frotte si vigoureusement la crinière qu'il est absolument impossible qu'elle saisisse le moindre propos. Mais, même dans le vide, je mitraille le silence pour faire taire la voix de Fred dans mon ciboulot qui répète sans cesse le message qui s'y est gravé.

Voilà, mon vieux Dan, mission accomplie. J'ai le numéro de téléphone de Rosa-Lux. Paraît qu'elle a eu des problèmes de santé, c'est tout ce que j'ai su. Mais, au moins, tu vas pouvoir vérifier ça de tes propres yeux.

Tu me dois une fière chandelle, mon Dan.

Elle me regarde enfin avec les cheveux qui se dressent dans tous les sens et me cause un peu des aléas de la vie de squatteuse. Elle prend la chose en riant et je l'encourage à continuer dans le même sens.

— Et puis? elle dit au moment où je lui tends un verre de vin.

— ?...

— De ton côté, des nouvelles au sujet de Rosa-Lux?

En l'espace d'une seconde, je prends une décision qui aurait dû nécessiter des heures de réflexion. Des heures et des heures à soupeser le pour et le contre... À analyser les conséquences qui découlent de ce choix... À prévoir les réactions qui immanquablement vont surgir...

Et aussi, et surtout, à vivre avec ma conscience sur laquelle il commence à y en avoir épais.

Alors...

Mentir? Poursuivre sur la route qu'elle et moi on s'est pavée pour se garder la tête hors de l'eau? Ou lui expliquer que Fred vient de mettre Rosa-Lux dans le creux de ma main et que j'ai l'impression de tenir un oisillon mou et à deux doigts de sa fin? Le mensonge dans lequel on baigne déjà jusqu'à la taille? Ou la vérité toute crue sur laquelle je vais m'effondrer?

Moi d'abord, elle ensuite.

— Non, je lui réponds sans la regarder.

— Bon, merde !

Après le squat, elle va s'attaquer à ça. Elle va se retrousser les manches et, jure-t-elle, « je vais finir par la retrouver ».

— Mais c'est maintenant qu'il serait utile de la voir. C'est au squat que ce serait bien qu'elle arrive. Tu comprends, elle me dit calmement, ce serait important qu'au squat on puisse rencontrer une batailleuse de son espèce. C'est pas qu'on est vraiment découragés, mais un peu d'espoir, ça ne nous nuirait pas.

Je m'occupe de faire sauter le bouchon du muscadet tout en cherchant à comprendre pourquoi je lui cache que j'ai chez moi, à l'abri des intempéries, un numéro de téléphone qui me mène jusqu'à Rosa-Lux. Que la réponse se trouve là, chez moi, à l'abri de tout. Ça tourne vite dans ma tête et je commence à craindre que ça me sèche la cervelle. Et puis, Rosa-Lux est plus belle et vaillante dans la pensée de Maryse que dans la mienne...

Pour conclure au plus sacrant, je me convaincs que Maryse est une puissante tornade qui peut tout emporter d'un seul coup.

Pour le moment, je rôde dans son œil et donc, ça peut toujours aller.

On s'envoie toute cette bouffe en tentant d'oublier que, même couché, le soleil continue à nous arracher des morceaux de vie. Tout au long du repas, je m'éponge le visage sans cesser de lui parler de choses et d'autres. Bref, je m'efforce de tasser le silence et l'amertume tout en évitant que Rosa-Lux vienne flotter sur nos humeurs.

Je l'interroge un peu sur le squat, sur la détermination qui doit garder le cap et sur les poings qu'on doit toujours lever. Bref, la rengaine habituelle des dures batailles. Mais le cœur n'y est pas.

Chez elle non plus, le cœur n'y est pas.

Je le sens parfaitement dans son discours qui s'effrite plus qu'il ne s'envole. Elle a beau faire semblant, il manque l'épice qui relève les luttes, qui masque l'ennui d'une réalité si crue qu'elle finit par nous aplatir.

— Oui, mais quand même, j'insiste pour nous éloigner de ma propre banqueroute.

Au squat, le moral flotte artificiellement sur une mer de merde qui commence à envahir drôlement l'espace. Quand ce ne sont pas les flics qui surgissent à tout propos, ce sont les pompiers qui farfouillent les moindres fissures que les politiciens s'empressent d'annoncer comme des failles alarmantes dans lesquelles tout l'équilibre social risque de se casser la gueule. Quant aux résidants, ces «alliés objectifs», de qui les squatters attendaient un appui, ils viennent dégueuler des tas d'injures sur le dos des activistes, et ça se répand jusqu'à la une des quotidiens.

C'est, j'imagine, pour toutes ces raisons, ou d'autres qui leur ressemblent, que Maryse aimerait voir débarquer Rosa-Lux au squat. Qu'elle vienne secouer un peu les troupes, les aguerrir et raviver la source.

Vingt ans séparent la Rosa-Lux que Maryse a dans la tête et celle que j'imagine qu'elle est devenue. Deux interminables décennies entre l'image et la réalité, entre le modèle et le tableau qui enjolive toujours la surface.

J'ai dans la gueule de quoi tout foutre en l'air. Un mot... Une petite phrase de rien du tout et l'édifice croule, nous enterre sous les débris.

Ensevelis, foutus, finis.

Avec l'horizon qui s'éteint, les yeux crevés par l'immédiateté des choses qui ne lâche jamais prise...

Là où il y avait une fille gorgée de rage et d'envies, il y a aujourd'hui une femme mûre, comme on dit salement, voûtée par l'amertume et le regret. Le verbe acide et le gosier débordant de venin. Il y avait une fille avec tout ce qu'il fallait dans les hanches et le regard pour nous traîner le cul au paradis et des propos pour nous visser les pieds au sol.

Il n'y a plus rien qu'un champ de braises.

Je promets inconsciemment à Maryse de faire mon possible, de remuer la terre entière, bref, de la retrouver au plus sacrant.

— Vous êtes au squat encore pour un bon moment? je demande.

Difficile à dire quand on vit sur la lame d'un poignard.

Je l'encourage à poursuivre, la prie d'en faire autant avec ses colocs du squat s'ils ont la moitié du cran qu'ils affichent. Puis je m'occupe de bien placer la vaisselle dans l'évier en insistant pour qu'elle se la coule douce.

Pourquoi je fais tout ça?

À quoi ça rime, tous ces encouragements? je me demande dans le fracas des assiettes qui s'empilent.

À la garder vivante et combative?...

À m'assurer que la tradition me survive?...

Ou alors à me garder vivant, moi?

Alors que je me sens flétri, mollasse, éteint.

Est-ce que je veux m'assurer que toutes ces années vont laisser suffisamment de traces pour justifier la rage que je ravale d'un matin à l'autre?

Je m'avance devant la fenêtre grande ouverte en espérant que le vent fasse un petit d'effort avant que je m'assèche totalement. Au moment où, avec un pan de ma chemise, je m'éponge le front, je sens la main de Maryse se poser sur mon ventre. Elle susurre des trucs dans mon dos.

Douces plaintes et petits mots, mais je n'arrive pas à saisir distinctement de quoi il retourne, bien que je connaisse déjà la couleur de son projet. Je ne détache pas les yeux de la fenêtre et il me passe par l'esprit que ce serait formidable si l'immeuble d'en face disparaissait et laissait au vent le passage qui le mènerait jusqu'à nous. Sans parler de la lumière qui irait jusqu'au fond de la pièce et inonderait tout sur son passage.

Peut-être aurais-je alors des plantes vertes ?

Je ne crois pas. Il me faudrait un désert entier et l'envie de le repeupler pour que je daigne même songer à une plante verte.

Sa main remonte sur mon ventre. Le geste est si lent que j'en arrive à me demander si ce n'est pas mon imagination qui cavale. Tout comme Rosa-Lux, Maryse est une magicienne mais, elle, elle me fournit l'occasion de constater que ses trucs marchent encore. Je me laisse pétrir l'épaule et m'étonne de l'intensité dont elle est capable quand il s'agit de ressusciter un mort.

Et puis ces mots inaudibles dans mon dos qui se mêlent au charabia qui monte de la rue... Je les imagine, ses mots, escalader ma colonne, frôler mon crâne et aller épouser ce qui s'agite en bas.

Les bagnoles font tout pour que la ville reste éveillée.

Coûte que coûte.

Klaxons, crissements de pneus et rugissements de moteurs.

Cette ville-là ne trouvera jamais la paix.

Maryse passe devant moi. J'accueille sa tête sur l'épaule qu'elle vient presque de m'esquinter. Puis sa bouche dans mon cou noyé de sueur... Je place ma main sur ses reins et je presse un peu.

Du trottoir nous arrivent les hurlements d'une femme drôlement en colère. Il ne viendrait à l'esprit de personne d'aller y jeter un œil. Même pas au nôtre. On arrive tous, un jour ou l'autre, à s'envelopper du silence idiot qui nous sert de code de conduite.

Le genoux de Maryse se fraye un chemin entre mes jambes. Je le reçois sans trop de conviction tout en m'interrogeant sur ce qui nous mène toujours, inévitablement, vers la destruction. Même lorsqu'on marche en gardant un œil sur ce qu'on quitte, c'est l'inéluctable démantèlement qui nous attend à la fin de la course. On se retourne alors vers ses racines prétentieuses pour bien s'assurer une petite place dans l'immensité.

— Plus de ça entre nous, je lui dis, la mort dans l'âme.

Elle me dit qu'elle comprend.

J'ai horreur des gens qui comprennent sans poser de questions, sans revendiquer ou gueuler un peu. Ne serait-ce que pour garder la forme. Mais là, je me satisfais de son choix.

Elle se détache de moi pour aller s'étendre tout en se plaignant de la chaleur.

Peut-être que la sagesse me gagne en douce.

Peut-être que je suis à deux pas de ma mort. Qu'elle me guette à chacun de mes déplacements. Peut-être que je suis déjà anéanti, que mes os craquent avant de s'émietter…

J'attends que Maryse s'endorme, qu'elle disparaisse derrière ses paupières, et je me promets d'aller me faire sauter la conscience dans un bar. De passer mes anciennes ambitions en revue comme on astique ses vieux bijoux, ou un revolver.

Je lèverai mon verre à cette sagesse, l'accueillerai avec la tête abasourdie mais les yeux bien braqués sur ce qui s'annonce déjà.

C'est finalement au Désert du Diable que je croise Julien, qui n'en mène pas très large. J'ai bien sûr tenté d'aborder avec lui cette histoire à propos d'Estelle, mais il m'a vite fait comprendre qu'il préférait balancer ça dans l'oubli.

Encore une fois, je l'envie de pouvoir se dégager avec cette désinvolture. Il tourne la page comme je change de trottoir, comme si l'amas de merde dans son dos n'était plus qu'un champ stérile d'où il n'émanerait jamais d'odeur.

En fait, il a plus urgent à régler, comme il dit. Il sue plus qu'il ne le peut avec des trucs dont il ne contrôle rien. A-t-on idée de se crever pour un article sur la production du café en Colombie?

— Hein, Julien, tu savais pas déjà que les paysans colombiens se font baiser?

Il y a sans doute plus que ça. Rien qu'à jeter un coup d'œil, même rapide, sur la tête moribonde qu'affiche Catherine, ce n'est pas sorcier de comprendre que le vent ne souffle pas très fort entre eux.

Mais ce n'est pas moi qui vais lui tirer les vers du nez.

— C'est ma tournée.

Je suis prêt à vider le frigo du bar pour redonner des couleurs à Julien et à tout ce qui se passe entre nous. Rien que pour lui souligner que la vie est plus longue que ça et que, malgré tout, il en restera toujours de larges pans qui vont s'évertuer à nous glisser entre les doigts.

— Écoute, dis-je, je peux t'aider?

Il semble bien que non. Faut dire que je l'ai amèrement laissé tomber avec cet article sur le nouvel arrivant qui découvre le Québec et qu'il a dû se rabattre sur des miettes picorées çà et là pour finir par remplir quelques pages.

Résultat : un truc pitoyable. Un collage de discussions diverses qui nous plonge en plein délire.

J'amorce une conversation banale sur le prix des voitures, puis m'étends assez longuement sur les bouquinistes qui pullulent sur Mont-Royal et où, avec un peu de chance, on arrive à dégotter des trésors.

Après la troisième bière qu'il s'envoie à mes dépens, je réitère mon offre, mais ça reste toujours « non ».

— Toi, par contre, tu vas pouvoir m'aider, je lui annonce.

— ?...

J'aborde enfin le sujet qui me traîne dans la tête depuis déjà deux jours. Le cœur en cavale et la voix hésitante, je lutte intérieurement pour m'affubler de l'assurance de ceux qui ne craignent rien. J'aurais aimé qu'on soit un peu plus imbibés, que nos têtes tanguent un peu, qu'on sente le vertige éthylique nous enrober, nous ouvrir les portes...

J'ai déjà la main levée, deux doigts bien dressés pour que Jo s'exécute. Qu'elle s'amène avec un océan de bière sur lequel on ne méditera pas longtemps. Que lui, Julien, et moi, Dan, on lève le coude jusqu'aux étoiles s'il le faut. Comme on s'y est tant et tant pratiqués il y a dix mille ans et qu'on abordait le monde en un claquement de doigts.

— Alors ?...

Alors, il sent le poids de ce silence que j'occupe, les lèvres soudées à mon verre, avant de le faire voler en éclats et de basculer dans ce trou que j'ai si patiemment creusé.

— Alors, je reprends, j'ai vu Rosa-Lux.

Il lève les yeux de son propre désarroi pour examiner celui que je m'apprête à lui balancer.

Je lui explique le coup de fil de Fred et l'empressement que j'ai mis à toucher au but. Fred a majestueusement mis

Rosa-Lux dans ma main, mais elle est devenue une sorte de porcelaine. Précieuse, fragile et cassante au moindre choc. Un truc plus puant que la merde s'est inséré dans son sang pour remonter jusqu'à sa tête.

— Problèmes cérébraux machin, il y a quelque temps. Tu sais ce que c'est... Paralysie partielle, dysfonction... Je sais plus trop. Je ne suis pas médecin... Mais tu peux me croire, c'est moche.

Quand je me suis pointé à la maison de convalescence, une vieille dame m'a ouvert la porte et je me suis présenté le plus gentiment du monde. J'ai multiplié les formules, emprunté toutes les mimiques qu'il faut quand il s'agit de faire bonne impression. Malgré tout ça, j'ai eu droit à la plus rigoureuse des vérifications dont sont capables les vieilles choses traquées. Puis elle a froncé les sourcils et fait comme si je n'étais pas là. C'était à se demander si je n'étais pas devenu transparent. Elle s'est décidée enfin à me regarder dans les yeux pour ensuite m'inviter à la suivre le long d'un corridor sombre qui n'en finissait plus. Dans son dos, je mesurais mes enjambées pour éviter de la bousculer dans son allure de tortue en fin de course. Une odeur de chou bouilli flottait tout au long de l'éternelle randonnée.

Et toujours pas le moindre mot.

Pourtant, au téléphone, je croyais bien avoir désamorcé sa méfiance. Elle s'était vite ouverte à ma proposition. Même que j'avais réussi à lui arracher un rire.

J'ai mijoté tout plein d'idées pour trouver les bons mots. Ceux qu'on doit servir à une vieille bonne femme qui craint jusqu'à son ombre.

Ma chemise était propre et sans faux plis, je n'avais pas la moindre parcelle d'acrylique sous les ongles et mon haleine ne bombardait pas l'air des relents de scotch qui s'entassaient drôlement depuis quelques jours.

Bref, j'étais parfait.

Il y avait bien sûr ma gueule qui n'est pas toujours très rassurante mais avec tout ce que je dégageais de gentillesse…

Au bout du compte, elle a enfin égratigné le silence.

Je refusais tout ce qu'elle m'offrait sans quitter des yeux la fenêtre par où, dans le pire des cas, je pouvais toujours me pousser.

— Non, vraiment, je vous remercie, je ne veux pas de café.

C'est vrai qu'il faisait une chaleur à tuer les chiens et les vieilles dames. Je l'ai rassurée en lui expliquant que les types de mon âge ne s'en sortaient guère mieux. J'ai enfoncé les mains dans mes poches pour cacher l'énervement qui les gagnait, puis j'ai répété encore que j'étais un type bien qui ne voulait de mal à personne. Qu'à la rigueur je lui procurais une occasion formidable de se payer un peu de repos.

Je maquillais ma gueule d'un sourire idiot, mes sourcils n'en finissaient plus de valser, et cette bonne femme qui ne cessait de me raconter l'immensité de ses responsabilités.

Et tous les sacrifices… Et tout ce mal de chien qu'elle se donnait pour en retirer si peu… Et ce malheur du diable qui ne la lâchait pas…

Puis, ça s'est présenté comme quand le soleil se lève après quatre jours de pluie. Elle m'a gratifié d'un magnifique sourire serti de plis.

— Mais vous avez l'air d'une personne honnête, elle m'a lancé sur le ton de la confidence.

Et comment donc que j'étais un type bien ! Je pouvais hausser le ton, aussi. Dire des trucs qu'elle n'arriverait même pas à imaginer. Je pouvais la faire reculer jusque dans le coin le plus exigu de la pièce, tremblante comme une souris devant un matou imposant. Puis bondir à travers la porte où m'attendait Rosa-Lux.

Avec cette épreuve que venait de subir ma patience, le moment n'était pas à me nouer les nerfs davantage.

— Mais vous lui avez parlé? Vous lui avez dit que j'arrivais? On est bien jeudi? j'ai lancé, un peu déconcerté.

Elle a hoché du bonnet, mais je ne misais pas trop gros sur ce truc-là.

— Bon, je vais aller voir, elle a dit avant de disparaître derrière une porte.

Je me suis planté au milieu de la pièce jusqu'à ce que la porte s'ouvre de nouveau. La vieille m'a envoyé un regard faussement, démesurément, comiquement morne.

Je pouvais y aller.

Je pouvais franchir le seuil.

Voir de mes yeux...

Tâter le vide et entendre le chaos.

Je me suis avancé pour me placer devant le téléviseur qui bleuissait la pièce où rien ne ressemblait à ce que j'avais imaginé.

On se fait toujours tout plein d'idées, mais bon, il n'y a rien comme la réalité. Et puis, il faut bien regarder les choses en face quand, pour une fois, elles sont crues.

À sa hauteur, j'ai avancé mon visage à ça du sien et lui ai dit, avec ma voix du dimanche, que j'étais bien heureux de me retrouver en face d'elle.

— Un truc de merde, vraiment, je répète à Julien qui a du mal à en revenir.

Elle qui pensait piéger le monde...

Bref.

Je lui souligne qu'elle est encore belle, même si je sais bien que ça ne l'intéresse pas. Belle et ardente. Je lui cache du même coup qu'elle doit appuyer la moitié de son corps sur une canne pour faire le moindre pas. Qu'elle n'a pas retrouvé la parole et s'exprime sur un petit calepin et que, quand elle sourit, elle place judicieusement sa main pour masquer la partie de sa bouche qui refuse de bouger. Je lui cache aussi et surtout que je suis prêt à aller jusqu'au bout s'il m'y oblige.

— Tu vas te casser les os sur ce truc-là, il me dit.

— Ta gueule, je lui lance en regrettant aussitôt mon énervement.

N'empêche que je crois fermement qu'on ne devrait jamais se mettre le nez dans les illusions des autres.

— Et en quoi je peux t'aider ?

— Ben, c'est tout simple, je lui annonce.

J'ai dit à Rosa-Lux que Julien possédait encore cette petite maison de campagne et qu'il y avait même des rideaux aux fenêtres. J'ai parlé des pins qui griffent les nuages quand le ciel est bas. Je lui ai parlé de la baie des Anges où ce serait bien qu'on aille faire glisser un canot…

— Voilà, c'est tout simple. Tu me refiles la clé de ta maison pour deux ou trois jours et je te la rapporte.

Ses yeux crèvent les miens, puis il dit :

— Non.

Faut entendre ce « non ». C'est comme quand quelqu'un tire un coup de feu à ça de votre oreille. On devient sourd et le sol nous glisse sous les pieds. Un « non » qui a du poids et qui nous rentre dans la chair en déchirant la peau sans se soucier des dégâts. Un « non » plus définitif que la mort.

Je laisse passer du temps pour qu'il reprenne ses sens, puis je reviens à la charge.

C'est toujours « non », mais, acculé au pied du mur, je sais refaire briller les étoiles.

— Et si j'allais causer d'Estelle avec Catherine ? je laisse échapper.

— Tu es vraiment con, Dan, il me lance sans baisser les yeux.

— C'est rien ça, mon vieux, je lui dis. Tu devrais me voir quand je m'y mets vraiment.

— T'es drôlement dans les câbles, là.
Et dire qu'au départ je me sentais au-dessus du pavé.

❏

Au squat, on semble mener une vie à peu près normale. Quelques curieux s'arrêtent pour y voir de plus près et, occasionnellement, des klaxons laissent entendre ce qu'on peut tout aussi bien prendre pour un appui ou un désaccord. La surveillance se réduit à deux bagnoles de flics garées en face.

Pour ma part, je m'appuie sur la clôture et jase un peu avec un type qui consent à baisser sa cagoule. Il y a la beauté de la colère qui n'envisage pas la défaite... Je suis en plein bilan des actions politiques qui datent déjà de plus de vingt ans quand je vois s'amener Maryse qui ouvre les bras au fur et à mesure qu'elle avance vers moi. Elle m'étreint en passant les membres par-dessus la barrière, puis elle m'explique où ils en sont.

L'air est bon, presque transparent, et on en a long à se dire. Je l'interroge et chacune de ses réponses se gonfle d'un enthousiasme qui me rappelle quelques bons souvenirs.

Je ferme ma gueule et la laisse rêver puisque, dans ce genre de guerre à armes inégales, il n'y a que ça à faire, rêver. S'imaginer qu'à défaut d'être les plus forts, on est les plus rusés et qu'ils vont, coûte que coûte, plier les genoux parce que la révolution va triompher. Doit triompher. C'est après qu'on fait le bilan des petits gains qui nous empêcheront de sombrer totalement.

Je lui refile un joint pour que le temps soit moins long et lui promets de revenir. Elle avance sa tête que j'accueille sur mon épaule.

❏

Julien devrait être là. En fait, il doit y être, sinon c'est qu'il a décidé de me faucher. Mon bagage occupe déjà une partie du coffre de ma voiture et j'ai cette petite nervosité qui se répand dans tous mes membres.

J'avale quelques bouffées d'un air saturé d'humidité, j'allume une cigarette et pousse la porte du Désert du Diable. Jo discute avec un gars — en fait, elle le drague — mais m'apporte tout de même une bière. Je vais la boire lentement, cette bière. Les yeux rivés sur ma montre, je vais l'avaler par petites lampées et espérer que Julien va se pointer.

Après ce verre, les dés auront roulé.

Les choses se sont sérieusement usées entre Julien et moi, mais je cultive encore l'illusion qu'il n'en restera pas là.

La musique fait vibrer les murs et j'entends la porte qui s'ouvre sur des gars que j'ai envie d'éliminer de la surface de la terre ou sur des filles dont je n'ai rien à foutre.

J'ai le mollet en bouillie et je crève de soif.

Puis il tire une chaise et s'installe à ma table. Une bière au poing, il me regarde et a meilleure mine que je ne l'aurais imaginé.

— Content de te voir, je lui lance en avalant d'un trait ce qu'il me reste de bière.

Julien affiche vraiment une belle gueule de vainqueur qui ne me laisse que très peu de choix. La cogner serait idiot dans la position que j'ai choisie. L'admirer serait encore pire. Alors, je me contente de le regarder de travers.

— Bon, ça va, je me décide à dire. Tu as raison et je m'excuse pour hier. Cette petite menace... Tu sais, je ne serais jamais allé voir Catherine pour lui dire que tu te payais du bon temps avec Estelle.

Rien à faire, il garde sa gueule de cire et plonge dans sa bière. Ça s'embrouille un peu dans mon esprit. Toute cette histoire est sur le point de m'avaler. De m'engloutir pour de bon.

Il se racle la gorge et ça, ça ne ment pas. Il va enfin l'ouvrir et parler. Me lancer quelques injures, sans doute. Je sais qu'il en a gros sur le cœur, alors je m'attends à un déluge face auquel je devrai survivre.

Vas-y, je me dis.

Frappe, bouscule, décoche quelques bons coups. Détends tes muscles, étire le bras, ferme le poing. J'ai la mâchoire fin prête à entendre tes arguments. La faute est vénielle mais de toute façon, pour moi, le débarcadère, c'est forcément en enfer.

Je peux toujours souhaiter que tout va rester dans les proportions de l'erreur commise. C'est une chose de régler des comptes, c'en est une autre d'anéantir le vis-à-vis.

Vieille technique militante.

Mais qui suis-je pour juger de ça ?

Il a l'invective solide et efficace, Julien, quand on le pousse un peu et, sur ce plan, j'ai fait ma large part.

Peut-être veut-il me rassurer ?...

Non, Julien veut sans doute m'enfoncer un peu plus dans la médiocrité où j'ai, des fois, tendance à me réfugier.

En allumant une cigarette, il m'annonce tout simplement qu'il n'est plus avec Catherine depuis plus d'une semaine.

— Alors, ta petite menace...

Je le regarde expulser la fumée et je cherche à deviner un léger rictus aux commissures de ses lèvres mais, pour ça, faudrait que je me force vraiment beaucoup. Que je déploie des tonnes d'imagination alors que je me sens totalement hors circuit.

À plat.

D'autres bières atterrissent, suantes et maléfiques, sur la table. Il paye la note et je cherche des mots. Des mots énormes. N'importe quoi qui pourrait effacer l'histoire.

La refaire.

Rewind.

Repasser les images, réécrire les dialogues et tout ça dans un décor du tonnerre. Créer de toutes pièces un truc tout neuf où je n'aurais pas forcément le mauvais rôle. Je me verrais bien incarner un gentleman comme celui de Cary Grant dans un des immanquables films que me faisait subir Heather.

Avec de la musique, du plaisir et des femmes...

Des *zoom in* qui viendraient nous lécher l'épiderme... Nous colmater les ridules...

Rembourser les sommes gaspillées.

Bref, des *zoom in* qui viendraient souligner à grands traits qu'on est une sacrée histoire et qu'il serait bon de s'en décharger le dos, une bonne fois.

Avant de crever sous son étouffant silence, je sors des brumes pour me lever et foutre le camp. Il m'imite aussitôt mais avec moins de lourdeur.

Planté devant lui, je tends la main bien à plat.

Toute la question est là. Combien de temps va-t-il me laisser en plan, la main tendue comme un affamé qui quête sa pitance ?

On dirait deux cow-boys qui se font face. Sauf que moi, je n'ai plus rien à dégainer. Comme un tireur fou, j'ai gaspillé mes munitions sur des cibles mouvantes.

Il laisse finalement tomber la clé et je referme le poing sur elle.

Toute neuve, luisante et définitive.

❏

Sur le trottoir, il y a de nouveau cette animation qui annule les courages les plus déterminés. Je tasse les gueulards d'une main et, de l'autre, je supporte Rosa-Lux jusqu'au premier rang.

Je lui pointe les drapeaux qui s'en donnent à cœur joie tout en haut de l'édifice et sa main presse un peu mon bras.

— Attends, je lui dis.

Les gens ne la remarquent pas, mais tant pis pour eux.

J'arrive à sortir mon cellulaire coincé au fond de ma poche et j'exige ensuite de parler à Maryse. Comme je ne suis pas d'humeur à négocier, le type, à l'autre bout, finit par se rendre à mon exigence.

— Enfin, Maryse! je laisse échapper. Tu es près d'une fenêtre?

Il y en a une à deux pas d'où elle se trouve.

— Vas-y voir et devine avec qui je suis.

Elle tombe pile et ne peut s'empêcher d'inviter quelques camarades à jeter un coup d'œil.

— On doit partir, Maryse. Je voulais simplement te dire bonjour avant. Oui, oui, on doit partir. Tiens bon, Maryse. Au bout du compte, ça vaut le coup…

Et puis, fallait s'y attendre, la communication a été interrompue net. Je ne m'en formalise pas puisqu'il ne me venait à l'esprit que des banalités du genre: la victoire est proche… Votre courage va finir par rapporter…

Des clichés ronflants qui prétendent nourrir la détermination mais qui sont souvent le constat d'un échec imminent.

Je ramène Rosa-Lux vers ma bagnole. Elle met un certain temps à s'installer, mais je n'en suis pas à quelques minutes près. Chemin faisant, je lui explique le programme des prochains jours. Je n'en mets pas trop mais tout de même assez pour l'allumer un peu. La rivière, le lac, les sentiers…

J'annonce tout ça comme si sa canne n'était plus qu'une coquetterie et mon mollet, un mauvais souvenir de vieille bataille.

Une fois installée, Rosa-Lux chausse ses verres fumés et je souris en songeant à ce foutu hamac qui s'est longtemps balancé dans ma mémoire.

U n silence dru enveloppe notre séjour.
Non, pas dru.
Un silence aérien.
Un silence qui ne trompe personne.
Une rumeur qui s'immisce, se faufile et qui draine les restes de l'histoire. Comme ça, sans mal et sans fracas.
Un silence total.
Non, pas total.
Il y a, des fois, des oiseaux, le matin surtout, qui se chargent de nous rappeler qu'on a encore des oreilles. Puis, le bruit de nos pas sur le gravier, le son de la rivière qu'hier on est allés voir couler et aussi l'éclat de rire qu'elle a échappé quand, en canot, on s'est rendus dans la baie des Anges.

Encore une fois, pour être solidaire de toutes les misères, je me suis rendu au village afin de me munir d'un petit calepin semblable à celui qui sert de parole à Rosa-Lux.

Comme elle, je griffonne, note, souligne, insiste avec un trait plus nerveux que celui qu'elle me donne à lire.

Elle en noircit du papier, Rosa-Lux.

Il y a de tout.

Des questions, des affirmations, des regrets, des idées, des réflexions, un brin de légèreté, des réponses, des pensées mûrement réfléchies, d'autres plus folichonnes, des explications…

Elle gribouille, me fait lire puis arrache la feuille qui plane jusqu'au sol.

Moi, je réponds, interroge un peu et n'affirme plus rien.

Mes bouts de papier vont rejoindre les siens et ça fait un drôle de bordel.

Des fois, je lui masse la main pour ensuite lui servir un verre de vin. D'autres fois, je roule un joint que je suis seul à fumer. On regarde le lac, tout en bas, puis on se retrouve, épaule contre épaule, à reprendre nos conversations muettes.

Je lui écris en trois feuillets tout ce que j'ai fait pour la retrouver.

Sourire, elle note sur sa feuille en me regardant.

Quant à moi, j'éclate de rire devant tout ça, étant donné que je peux le faire des deux côtés du visage.

Tu veux qu'on aille en canot, ce soir, ensemble ? j'écris avec aplomb.

Mais il vente à arracher les toits !

Je jette un coup d'œil à la fenêtre, et c'est vrai que le vent rage contre tout.

Je sais. Et puis, tu veux ?

La pointe de son crayon reste suspendue un moment au-dessus de son calepin. J'ai peur qu'elle me demande d'être raisonnable.

De bien y penser...

De peser le pour et le contre...

Faire le bilan qui s'impose depuis le début...

Elle rédige et pousse son calepin sous mes yeux.

Tu veux vraiment m'accompagner ?

❏

En descendant vers le lac, je remarque que le vent se sent d'attaque pour déraciner même les pins géants de Julien. Sans compter que Rosa-Lux a la crinière qui va dans tous les sens.

Il reste un peu de vin dans la bouteille. Rosa-Lux se colle le goulot aux lèvres puis me la tend pour que je me charge de finir le travail.

Et puis je pense à Maryse.

Je pense au plaisir que j'aurais, là, maintenant, à lui dire de garder son verbe intact. Celui qui a l'écho d'une bombe.

Je choisirais mes mots pour bien lui expliquer que le temps, même si on s'évertue à le dynamiter, finit par nous visser au sol. Par nous rogner les ailes qu'on souhaite toujours assez larges pour nous supporter.

Le temps, c'est l'ennemi principal, et on n'a pas encore inventé l'arme qui le fera voler en éclats.

Puis je viendrais l'enrober de ma carcasse comme une chienne le fait avec son chiot quand elle prend conscience de l'avoir peut-être entraîné dans une chasse inutile.

J'aide Rosa-Lux à s'installer dans le canot avant d'en faire autant. Au moment de donner le premier coup d'aviron, il me prend l'envie de lui expliquer que ce vent-là, il a décidé de tout balayer.

Mais bon, j'ai oublié mon calepin là-haut.

heatherb@msn.com

Bonjour Heather,
Comme je te l'ai écrit hier, je reviens ce soir pour te confirmer ce que je craignais.

J'ai pensé me rendre à Toronto pour te parler de vive voix, mais je n'en ai pas vraiment le temps ni l'enthousiasme.

Hier, quand je suis rentré dans la maison de campagne, il y avait des tas de feuillets au sol. On aurait dit un dialogue éclaté. Je les ai ramassés, puis j'ai tenté de reconstruire ce qui aurait pu être une conversation. Il m'a bien fallu reconnaître que l'exercice était inutile. Il y a des choses qui ne se reconstruisent pas.

J'ai joint les gens qu'il faut dans ces cas-là et ils me sont revenus à peine une heure plus tard. On a retrouvé le canot au large et on a ensuite repêché le corps de Dan dans ce qu'on appelait, à l'époque, la baie des Anges.

Quant à Rosa-Lux, on la cherche encore.
À la prochaine.

Julien